GW00992236

Anne Wiazemsky

Une année studieuse

Gallimard

Anne Wiazemsky a publié des nouvelles, *Des filles bien élevées* (Grand Prix de la nouvelle de la Société des Gens de Lettres, 1998), et des romans, *Mon beau navire* (1989), *Marimé* (1991) et *Canines* (prix Goncourt des lycéens, 1993). Elle a reçu le Grand prix de l'Académie française en 1998 pour *Une poignée de gens*. Elle a publié *Aux quatre coins du monde* (2001), *Sept garçons* (2002), *Je m'appelle Élisabeth* (2004), *Jeune fille* (2007), *Mon enfant de Berlin* (2009), *Une année studieuse* (2011) et *Photographies* (2012). Elle a été également actrice et a joué notamment dans des films de Robert Bresson, Jean-Luc Godard, Pier Pasolini et Philippe Garrel.

À Florence Malraux

Un jour de juin 1966, j'écrivis une courte lettre à Jean-Luc Godard adressée aux *Cahiers du Cinéma*, 5 rue Clément-Marot, Paris 8ᵉ. Je lui disais avoir beaucoup aimé son dernier film, *Masculin Féminin*. Je lui disais encore que j'aimais l'homme qui était derrière, que je l'aimais, lui. J'avais agi sans réaliser la portée de certains mots, après une conversation avec Ghislain Cloquet, rencontré lors du tournage d'*Au hasard Balthazar* de Robert Bresson.

Nous étions demeurés amis, et Ghislain m'avait invitée la veille à déjeuner. C'était un dimanche, nous avions du temps devant nous et nous étions allés nous promener en Normandie. À un moment, je lui parlai de Jean-Luc Godard, de mes regrets au souvenir de trois rencontres « ratées ». « Pourquoi ne lui écrivez-vous pas ? » demanda Ghislain. Et devant mon air dubitatif : « C'est un homme très seul, vous savez. » Puis il s'amusa à me rappeler comment, il y avait un an de cela, je tenais un autre discours.

Jean-Luc Godard était venu sur le tournage

de *Balthazar* invité par la productrice, Mag Bo-dard. Cette dernière m'avait obligée à déjeuner avec eux et je m'étais exécutée de fort mauvaise grâce. Si je savais qui il était, je n'avais vu aucun de ses films, agacée par les multiples querelles à son sujet : autour de moi, dans la presse, on se devait d'être pour ou contre son cinéma, l'ignorer était impensable. Un an après, le souvenir de ce déjeuner me faisait un peu honte. Robert Bresson que cette visite importunait s'était beaucoup moqué de lui. Il l'avait fait sous couvert de son habituelle courtoisie, feignant l'innocence et en m'adressant des sourires complices.

Toujours cet été-là, il y avait eu une deuxième rencontre. Robert Bresson visionnait les rushes de son film au laboratoire LTC, je l'avais accompagné et je l'attendais en lisant, dans le café en face. Jean-Luc Godard était entré, m'avait vue et s'était aussitôt dirigé vers moi, comme s'il avait quelque chose d'important à me dire. Mais après quelques secondes de silence, en me désignant mon livre : « Vous lisez le *Journal du voleur*? — Oui. — Cela vous plaît? — Oui. » Et j'avais repris ma lecture sans plus me soucier de lui.

La troisième rencontre datait du mois de juin. J'avais pour quelques heures quitté la campagne où je révisais mon baccalauréat afin de me rendre chez Roger Stéphane, qui, émerveillé par *Au hasard Balthazar*, lui consacrait toute son émission de télévision *Pour le plaisir*. Robert

Bresson, moi, différents membres de l'équipe et un nombre impressionnant de personnalités étaient interviewés. Parmi elles, Jean-Luc Godard contre qui je me cognai brutalement dans l'escalier de l'immeuble, moi le descendant, lui le montant. « Crétin ! Imbécile ! Idiot ! » avais-je crié sans voir à qui j'avais affaire. Et tandis qu'il m'aidait à me relever en s'excusant : « Oh, pardon ! » avais-je murmuré. Puis, je pris la fuite, submergée par ma timidité. Les choses avaient changé depuis que j'avais vu et revu *Pierrot le Fou* dont la beauté tragique m'avait bouleversée. Je n'étais pas allée voir ses anciens films mais j'avais attendu avec impatience le suivant.

Masculin Féminin avait servi de détonateur. De façon totalement irraisonnée je l'avais perçu comme une sorte de message qui m'était adressé et j'y avais répondu.

Ma lettre postée, je me rendis, pour la première fois de ma vie, au cocktail d'été des Éditions Gallimard. Je venais d'échouer en partie à mon baccalauréat de philosophie et devais passer un oral de rattrapage, en septembre. Malgré cet échec, malgré ma timidité, j'étais animée, ce jour-là, d'une étrange énergie.

Une foule de gens se pressait dans le jardin : des écrivains que j'avais vus à la télévision, quelques amis de ma famille, beaucoup d'inconnus. Heureusement, il y avait Antoine Gallimard avec qui j'étais liée depuis l'adolescence et qui m'apporta d'emblée une coupe de champagne. À voix basse il m'expliqua qui était qui.

Une deuxième coupe de champagne eut raison de mes peurs et je lui demandai avec curiosité si l'homme près du buffet était bien Francis Jeanson. Antoine acquiesça.

J'avais entendu parler de Francis Jeanson par mon grand-père, François Mauriac, qui avait à plusieurs reprises évoqué son action durant la guerre d'Algérie, son soutien au FLN, la création d'un réseau qui portait son nom. Recherché par toutes les polices, il avait finalement été gracié et circulait à sa guise, en homme libre.

Mais Francis Jeanson était surtout pour moi un proche de Sartre et de Simone de Beauvoir que j'admirais éperdument depuis ma lecture, au début de l'adolescence, des *Mémoires d'une jeune fille rangée*. Francis Jeanson leur avait consacré des ouvrages que j'avais lus. Je savais encore qu'il avait enseigné la philosophie à Bordeaux. Ce dernier point me décida.

Avec une audace que je ne me soupçonnais pas, je fonçai sur lui pour lui expliquer en vrac qui j'étais, mon échec au baccalauréat. Et je conclus :

— J'ai besoin que vous me donniez des leçons de philo.

— Rien que ça ?

Il était un peu surpris.

— Rien que ça.

Nous échangeâmes nos numéros de téléphone et il me fixa rendez-vous le 1er août, chez lui, rue Raynouard, dans le 16e arrondissement.

— Au revoir, mademoiselle.

— Au revoir, monsieur.

Une poignée de main et Francis Jeanson reprit la conversation que mon arrivée avait interrompue.

Une fatigue soudain m'envahit comme après une éprouvante épreuve sportive.

— Tu t'en vas déjà? demanda Antoine.

— Oui.

— Je te raccompagne à la porte.

Nous restâmes un moment sur le trottoir devant le 5 rue Sébastien-Bottin à évoquer nos vacances d'été. Lui allait faire de la voile, voyager; moi je partais le surlendemain dans le sud de la France, rejoindre une amie, avant de reprendre mes révisions, le 1er août, à Paris.

— Tu es gonflée, dit Antoine, aborder un homme que tu ne connais pas pour qu'il te donne des leçons de philo!

Et reprenant une de ses plaisanteries favorites:

— Tu n'aimes vraiment que les vieux!

Nous avions eu l'un et l'autre dix-neuf ans, un peu auparavant.

À Montfrin, chez mon amie Nathalie, le temps passait vite. Nous nous levions tôt pour participer à la récolte des pêches, un travail harassant qui me plaisait beaucoup. Il s'agissait de cueillir les fruits puis de les répartir dans différents cageots en fonction de leur taille: c'était le calibrage. Il fallait agir vite, avec précision, au milieu d'une vingtaine d'ouvriers agricoles.

J'aimais la lumière dorée encore si douce du matin, le parfum entêtant des pêches, le silence concentré de toutes et de tous. Nathalie et moi mettions notre honneur à ne pas ralentir le rythme, à ne pas bavarder.

L'après-midi, nous nous reposions au bord de la piscine ou, quand il faisait trop chaud, dans nos chambres, volets tirés. La propriété de la famille de mon amie était située en hauteur, avec une vue sur toute la région. Nous habitions le château, qui était un vrai château du XVIIIᵉ siècle, proche des châteaux des contes de fées de mon enfance. Je ne me lassais pas de visiter les nombreuses pièces, de fouiller dans la bibliothèque. La gardienne préparait les repas que nous prenions seules dans l'imposante salle à manger.

Un soir, aux environs de 10 heures, le téléphona sonna. Il se trouvait dans le vestibule, loin du salon où nous nous étions attardées. Nathalie alla répondre, puis cria mon nom. Elle avait une drôle d'expression quand elle me tendit le combiné.

— Il dit qu'il est Jean-Luc Godard, murmura-t-elle, incrédule.

La voix, au téléphone, était bien la sienne, mais je crus à une farce d'Antoine ou d'un autre de nos amis, car nous avions et l'âge et l'habitude de nous en faire. Mais la voix donnait des précisions. Ma lettre était bien arrivée aux *Cahiers du Cinéma* et si mon interlocuteur avait tardé à me répondre, c'est qu'il se trouvait alors au Japon. J'avais aussi omis de mettre mon adresse et mon numéro de téléphone. Il avait aussitôt appelé la productrice Mag Bodard, puis mon domicile. Ma mère lui avait répondu que « je me trouvais quelque part dans le Sud et que j'étais difficile à joindre ». Il avait beaucoup insisté en lui disant que c'était très important et que même à 10 heures du soir, il devait d'urgence me parler. Avec réticence, elle avait fini par céder.

— J'ai besoin de vous voir demain. Où êtes-vous ? Comment puis-je vous retrouver ?

Je lui passai Nathalie, plus à même de répondre. Elle expliqua : avion jusqu'à Marseille, location d'une voiture, direction Avignon, le petit village de Montfrin était ensuite indiqué. Je repris le téléphone.

— Dites-moi le nom d'un café ou d'un restaurant où nous pourrions nous retrouver.

Ne quittant jamais la propriété, je n'en connaissais pas.

— Alors, devant la mairie. Dans n'importe quel village de France, il y a toujours une mairie...

Je l'entendis calculer à voix basse.

— À midi.

Et avant de raccrocher :

— Devant la mairie, n'oubliez pas.

Nathalie et moi nous regardâmes en silence. La radio, dans le salon, diffusait une valse de Strauss et brusquement, l'une entraînant l'autre, nous nous mîmes à danser comme des folles dans le vestibule désert, riant à en avoir les larmes aux yeux, de joie, d'impatience, d'énervement, on ne savait pas.

Oui, il était là, à midi, devant la mairie, en costume de ville, un livre à la main. Des lunettes noires dissimulaient en partie ses yeux mais beaucoup moins que ne le disaient les journalistes. Je les voyais pétiller de gaieté, en accord avec son sourire, franc, enfantin. Nathalie et moi nous étions quittées un quart d'heure auparavant avec le sentiment qu'une journée importante commençait.

— J'ai eu le temps de regarder autour de moi, il n'y a rien... Le mieux serait de déjeuner près d'Avignon. Vous avez faim ? J'ai loué une voiture.

Durant le trajet, il parla beaucoup comme quelqu'un qui aurait peur du silence. Je crus comprendre qu'il s'apprêtait à tourner deux films en même temps, j'allais lui poser des questions mais il avait déjà changé de sujet : quels étaient mes écrivains préférés ? Est-ce que j'aimais Mozart ? D'apprendre que je faisais la récolte des pêches avant d'entamer mes révisions de philosophie parut l'intéresser tout particulièrement.

Au restaurant, alors que j'étudiais avec gourmandise la carte, il choisit n'importe quoi. Nous nous regardions souvent mais jamais franchement, toujours de biais. Dès que je sentais ses yeux posés sur moi, je détournais les miens et inversement. Il n'y avait rien d'hypocrite, c'était un jeu entre sa pudeur et la mienne. Je me sentais heureuse et je savais qu'il l'était aussi. C'était un sentiment subtil mais fort et qui augmenta au fil des heures.

Au sortir du restaurant, il passa son bras sous le mien. C'était naturel pour lui, pour moi, de déambuler ainsi l'un près de l'autre dans les rues de cette petite ville proche d'Avignon. Est-ce que nous avions l'air d'un couple pour ceux que nous croisions? Je ne le savais pas, je ne me posais aucune question. Je ne pensais qu'à savourer le plaisir que j'éprouvais à le sentir contre moi, à l'écouter parler car il parlait, parlait...

Chez un disquaire, il m'offrit des quatuors de Mozart; dans une librairie *Nadja* d'André Breton. Il m'aurait fait encore des cadeaux si je ne l'avais pas prié d'arrêter, soudain gênée par cette générosité excessive.

Mais l'heure de son retour à Paris approchait, il devait me déposer à Montfrin et rejoindre l'aéroport de Marseille.

Dans la voiture, il ne restait plus rien de cette délicieuse sensation de bonheur. Lui, maintenant, se taisait et je ne savais pas quoi dire. Entre nous un silence pesant s'était installé. Il regardait la route, droit devant lui et moi le paysage. J'avais l'impression que quelque chose d'irrémédiable s'était passé entre nous, qui avait tout gâché, et que je le voyais pour la dernière fois.

Il arrêta la voiture sur la terrasse en demi-lune, devant la propriété, si brutalement que je faillis me cogner contre la vitre. Il abandonna alors le volant et me prit dans ses bras. Il murmurait que c'était trop douloureux de me quitter, qu'il ne pouvait plus envisager une vie sans moi, que, que... Je l'interrompis : « Revenez. — Oui. » Il déposa un chaste et rapide baiser sur ma joue et je descendis aussitôt, étourdie, le cœur battant comme jamais.

Pendant trois jours je reçus plusieurs télégrammes où il me redisait ce qu'il avait murmuré dans la voiture. Je les lisais et les relisais. Presque tout devenait confus, irréel. Pourtant je me levais à la même heure, rejoignais avec Nathalie les ouvriers agricoles pour participer à la récolte des pêches. Mais au cours de la journée, les choses commençaient à se dérégler. J'écoutais sans arrêt les quatuors de Mozart. Je me tenais souvent près du vestibule : à cette époque, une opératrice lisait d'abord au téléphone le texte du télégramme que le postier remettrait plusieurs heures après. Enfin, il y en eut un qui me donna rendez-vous le lendemain, à midi, devant la mairie.

Tout de suite nous fûmes dans les bras l'un de l'autre. Une étreinte pudique mais qui disait clairement le désir d'amour. Nous prîmes à nouveau la route pour la petite ville proche d'Avignon et les mêmes places dans le même restaurant : accomplir cette sorte de rituel nous amusait, nous protégeait. Il dit qu'il souhaitait me tutoyer et bien plus encore. Accepter le tutoiement, c'était peut-être accepter le reste mais sans prononcer des mots qui nous engageraient trop vite. Il ne s'agissait pas de frilosité chez lui ou d'hypocrisie chez moi. Il s'agissait de ne pas se précipiter, d'avancer doucement, avec précaution ; de profiter de ces temps d'attente où nous apprenions à nous connaître.

C'était surtout lui qui parlait mais mes silences « disaient beaucoup de choses », m'écrirait-il le lendemain.

À mon grand étonnement, il me raconta la place que j'occupais dans sa vie, depuis un an.

Cela avait commencé avec *Le Figaro* et une photo de moi, prise durant le tournage d'*Au hasard Balthazar*.

— Je suis tombé amoureux de la jeune fille de la photo. Pour la rencontrer et avec la complicité de Mag Bodard, j'ai proposé d'interviewer Robert Bresson pour *Les Cahiers du Cinéma*.

Il se rappelait tous les détails de ce déjeuner.

— Vous avez été odieux, tous les deux, odieux ! Lui qui prétendait ignorer le roman de Jack London *Michaël chien de cirque* et toi qui buvais ses paroles, qui l'approuvais avec adoration !

Je contestais le terme « adoration » mais il n'en démordait pas. Son insistance me faisait rire. Il devint plus grave : avais-je été amoureuse de Robert Bresson ? Avions-nous été des amants ? Si oui, l'étions-nous encore ? Son air sérieux, sa façon de m'interroger en me regardant droit dans les yeux me semblaient si incongrus que je ne répondais que par des haussements d'épaule. Mais je le vis s'assombrir : « Non, bien sûr que non. » Il fut aussitôt soulagé et prit mes mains dans les siennes, au-dessus de la nappe.

— Je veux que vous sachiez exactement où j'en suis.

Entre nous, par moments, le vouvoiement revenait.

Le restaurant où nous avions déjeuné se vidait. Une jeune femme balayait entre les tables, le serveur lisait un quotidien derrière le bar. Personne ne nous demandait de partir, on semblait nous avoir oubliés. Jean-Luc en profita pour m'expliquer de façon très claire, avec un minimum de mots, qu'il avait énormément aimé Anna Karina, qu'il avait beaucoup souffert quand elle l'avait quitté mais que leur histoire était finie depuis longtemps. Il ajouta qu'il avait été épris de Marina Vlady jusqu'au jour où il était venu me voir, à Montfrin : en tombant amoureux de moi, il avait cessé de l'aimer, elle. Avec l'une il allait tourner *Made in USA*, avec l'autre, à partir du 8 août, *Deux ou trois choses que je sais d'elle*.

— C'est donc très simple, je suis seul, sans aucune attache, libre. Et vous ?

Je lui évoquai brièvement mon premier amour malheureux durant le tournage d'*Au hasard Balthazar*.

— Vous l'aimez toujours ?

— Non.

Son rire alors, si joyeux, si insouciant. Nous venions de nous parler avec sincérité, nous nous étions écoutés avec attention, avec confiance. Je ne songeais pas à mettre en doute ses dires et lui non plus.

Une fois dehors, dans les ruelles désertes, il poursuivit le récit de l'année qui venait de s'écouler.

Il était entré dans le café en face du laboratoire LTC parce qu'il m'avait vue en train de lire. Il m'avait abordée avec l'intention un peu folle de me dire : « Voulez-vous m'épouser ? » mais n'avait rien pu exprimer. De la même manière, après notre rencontre dans l'escalier de l'immeuble de Roger Stéphane, il avait couru après moi pour m'inviter à prendre un verre mais j'avais disparu. Puis, il s'était rendu à des projections du film de Robert Bresson en espérant que le destin nous mettrait à nouveau en présence l'un de l'autre. En vain.

— J'étais résigné à ne plus te revoir quand...

Il prenait un ton malicieux tout au plaisir de revivre ces moments, faisait des pauses.

— ... quand tu as reçu ma lettre !

— Un miracle ! Je rentrais du Japon pour les dernières préparations de mes deux films et je suis passé par hasard aux *Cahiers*. Je n'ouvre jamais le courrier que j'y reçois, mais il y avait une lettre sur le bureau avec un mot d'excuse de la secrétaire : elle avait par mégarde ouvert une lettre qui m'était destinée... J'allais la jeter dans la corbeille quand j'ai vu ta signature...

Nous étions maintenant assis sur un banc, dans un square, à l'ombre d'un vieux figuier. Il me tenait serrée contre lui et se taisait. Enfin, il murmura :

— *Ô Jeanne pour aller jusqu'à toi, quel drôle de chemin il m'a fallu faire.*

Et devant mon air surpris :

— C'est ce que dit le voleur à Jeanne dans le parloir de la prison. Tu ne connais pas *Pickpocket* de Robert Bresson ?

En fin de journée, dans la voiture, nous étions à nouveau accablés de tristesse et déconcertés de l'être à ce point. Se séparer, partir chacun de son côté nous rendaient muets, incapables de trouver les mots qui rassurent.

En arrivant sur la terrasse en demi-lune devant le château, son visage soudain s'éclaira.

— J'ai une idée : tu vas m'accompagner à Marseille et je te donnerai de l'argent pour revenir en taxi.

Et sans me laisser le temps d'argumenter :

— Mais il faut que ton amie nous accompagne, je ne veux pas que tu rentres seule. À deux, vous ne risquerez rien.

Nous roulions en direction de Marseille. J'étais assise à côté de lui, Nathalie à l'arrière. Elle n'avait pas accepté tout de suite cette proposition pour le moins inattendue. Mais il lui avait parlé avec tant de chaleur et d'émotion, qu'elle avait fini par céder. « C'est bien parce que c'est vous », lui avait-elle dit. « Parce que ce pourrait être quelqu'un d'autre ? » Il lui avait répondu du tac au tac, avec cette malice enfantine qui émanait spontanément de lui quand il était heureux ou simplement de bonne humeur. Nathalie avait rougi. « C'est charmant. J'aimerais bien filmer le visage d'une jeune fille qui rougit. » Il passait avec rapidité d'un sujet à l'autre, jonglait avec les idées et les images. Nathalie était désarçonnée comme je l'avais été le premier jour.

Car en voyant les réactions de mon amie, je comprenais que je m'étais adaptée à cet homme étrange qui ne ressemblait à aucun de ceux que je connaissais. En deux rencontres et quelques télégrammes, il m'était devenu familier.

Il ne dit pas grand-chose durant le trajet. Malgré son assurance du début, la présence à l'arrière de Nathalie l'intimidait. Pourtant elle se faisait discrète, regardait le paysage, osait par moments quelques remarques anodines. Elle portait comme souvent cet été-là une robe-tablier en tissu madras, à carreaux bleus et roses qui lui allait très bien. Elle était blonde, avec un coup de soleil sur le nez. J'avais le même et mes cheveux étaient ramenés en un début de queue-de-cheval. Je portais plus banalement un jean et un vieux polo décoloré. Quand je lui avais présenté Nathalie, Jean-Luc avait eu ce commentaire : « Quelle mine vous avez, Anne et vous ! Excellent mélange, travail agricole et vacances studieuses au bord de la piscine ! »

Nous étions arrêtés à un feu rouge, aux abords de l'aéroport. Il me regarda et regarda Nathalie, dans le rétroviseur.

— Vous savez à quoi vous me faites penser, toutes les deux? À Delphine et Marinette, les petites filles des *Contes du chat perché* de Marcel Aymé. Vous connaissez?

Jusqu'au dernier appel, Jean-Luc me tint serrée contre lui en murmurant des mots d'amour, en m'assurant qu'il reviendrait bientôt. Son chagrin si visible, le mien impressionnèrent Nathalie, et elle lui dit en bafouillant, surprise par sa propre audace :

— La prochaine fois, si cela vous fait plaisir, venez déjeuner à la maison. Mais ne tardez pas trop : dans huit jours maman et mon frère arrivent...

Nous le regardâmes s'éloigner avec les derniers passagers du vol. Auparavant, après avoir rendu la voiture de location, il avait choisi un taxi, avait expliqué où il devait nous conduire et l'avait payé d'avance en ajoutant un fort pourboire. Le chauffeur nous attendait donc, de très bonne humeur.

Installées à l'arrière nous regardions décliner le soleil un peu inquiètes de faire seules un si long trajet en taxi, soudain fatiguées comme on peut l'être après trop d'émotions. J'étais triste et Nathalie du coup l'était aussi. La présence du chauffeur nous rendait muettes et nous roulions maintenant dans la nuit.

— Que dirait ma mère si elle nous voyait, murmura enfin Nathalie.

— Et la mienne !

Nous rîmes en silence, comme l'auraient fait des gamines. Nous avions si peu pensé à nos mères ces derniers temps...

— Tu es amoureuse ? murmura encore Nathalie.

— Oui, je crois.

Nous étions en train de nous endormir quand le taxi s'arrêta sur la terrasse, à l'entrée de la propriété. Le chauffeur descendit, nous ouvrit la porte en s'inclinant et, sur un ton ironique :

— Princesses, vous êtes arrivées !

Quarante-huit heures après, Jean-Luc était de retour. Il arriva plus tard que les deux autres fois, au beau milieu de l'après-midi, et se gara directement devant la propriété. Nathalie et moi l'attendions assises sur le muret en pierre qui bordait la terrasse en demi-lune.

— J'ai une réservation pour le dernier vol, celui de 22 heures, dit-il d'emblée.

— Restez dîner, proposa Nathalie avec simplicité.

Il s'assit à nos côtés et nous raconta comment Marina Vlady refusait de tenir compte de ses indications et combien cela l'exaspérait.

— C'est pourtant simple, la seule chose que je lui demanderai quand elle fera mon film, c'est de venir à pied de chez elle au lieu de tournage, en banlieue !

— Elle habite loin ? demanda Nathalie.

— À Ville-d'Avray ! C'est pas grand-chose de marcher à pied, l'été, quand il fait beau ! Les acteurs sont horriblement paresseux, tu n'es pas d'accord avec moi ?

La question m'était adressée mais je ne savais pas y répondre. J'avais vu quelques films de Marina Vlady dont la beauté m'émerveillait et j'avais du mal à imaginer l'interprète de *La Princesse de Clèves* ou de *Adorable menteuse* faire tous les matins deux heures de marche pour se rendre jusqu'à son lieu de travail. Mais Jean-Luc insistait :

— Nathalie et toi faites bien pendant trois heures tous les matins, la récolte des pêches !

Et comme nous ne disions toujours rien :

— Vous voyez que j'ai raison.

Puis il me proposa une promenade en Avignon où le festival de théâtre achevait sa saison. J'acquiesçai, il proposa à Nathalie de se joindre à nous. Mais elle refusa. Par discrétion, par timidité ? Son sourire poli ne le disait pas.

— Revenez avant la fin de l'après-midi pour profiter de la fraîcheur de l'autre côté du château, vous verrez comme c'est agréable.

Dans les rues d'Avignon, Jean-Luc improvisa tout de suite un jeu. Il s'agissait de se promener en évitant ses nombreuses connaissances, des metteurs en scène, des acteurs et des actrices dont il me citait les noms. Nous nous embrassions sous un porche, quelqu'un arrivait et nous

nous échappions. On s'amusait beaucoup comme j'aurais pu le faire avec mes amis d'enfance. Dans ces moments-là, il avait mon âge et cela avait cessé de m'étonner. Il me revenait en mémoire une phrase entendue quelque part : « Les gens que j'aime ont mon âge. » C'était exactement ça.

Dans une librairie, Jean-Luc choisissait avec soin les livres qu'il souhaitait nous offrir à Nathalie et à moi quand il fut abordé par un homme qu'il n'avait pas vu venir. J'étais un peu plus loin, il m'appela et nous présenta l'un à l'autre. Mon nom ne lui disait rien et le sien m'était inconnu. Alors Jean-Luc répéta mon nom et ajouta :

— C'est l'interprète d'*Au hasard Balthazar*, le film de Robert Bresson !

Une fois dehors, il me prit par la main et me dit :

— J'étais fier qu'on te voie à mes côtés. Et toi, ça ne t'ennuie pas ?

— Non, pas du tout.

— Alors ne nous cachons plus.

Nous nous promenâmes encore une heure autour de la place de l'Horloge et du palais des papes, enlacés ou main dans la main, mais il ne rencontra plus personne. Jean-Luc était très déçu.

Nathalie m'avait demandé de lui faire visiter les jardins autour du château tandis qu'elle s'occupait des apéritifs. Jean-Luc appréciait chaque détail que je lui désignais. Il aimait les cyprès, les lauriers, les massifs de fleurs et le dessin parfait des allées. La beauté de l'ensemble l'impressionnait, il le disait chargé d'histoire, devenait rêveur : les propriétaires de ces lieux en étaient-ils dignes et pourquoi ces lieux étaient-ils réservés à quelques privilégiés ? « La beauté devrait appartenir à tous ceux qui savent la voir », murmura-t-il avec soudain un peu d'amertume. Je ne comprenais pas.

— C'est rien, dit-il à nouveau gaiement : *Je parle à mon bonnet.*

Et comme je ne comprenais toujours pas :

— C'est ce que répond Sganarelle à Dom Juan. Vous n'avez pas étudié Molière dans ton collège ?

Nous étions assis sur un banc en pierre. La campagne tout autour devenait paisible. On entendait parfaitement le bourdonnement des abeilles dans les buissons de lavande, les cris des hirondelles et des martinets.

— Je dois te dire quelque chose.

Comme il l'avait déjà fait lorsqu'il m'avait parlé de sa vie passée, il prit mes mains dans les siennes et me contempla avec gravité.

— Une certaine presse annonce mes fiançailles avec Marina Vlady. C'est faux, évidemment.

Je me raidis, il le sentit et accentua la pression de ses mains.

— C'est tellement faux que si tu as le moindre doute, je renonce à tourner *Deux ou trois choses que je sais d'elle.* Quand je voulais faire ce film, je ne te connaissais pas, maintenant, je m'en fiche. Tu me crois ?

— Oui.

Nathalie nous appelait, nous prîmes l'allée qui montait en direction du château. Juste avant de la rejoindre, il marqua un arrêt et exprima son désir de rester à Montfrin, de passer la nuit avec moi. Tout aussi naturellement je lui répondis oui.

Nathalie n'était pas d'accord. Elle se réjouissait sincèrement de cette histoire d'amour née sous ses yeux, mais abriter la première nuit de deux amants lui semblait au-dessus de ses possibilités. « Si ma mère apprenait ça... », ne cessait-elle de répéter. Jean-Luc, avec douceur et fermeté, plaidait notre cause : il prendrait le vol Marseille-Paris de 6 heures du matin, quitterait la propriété à 4. Il la suppliait. Moi, je me taisais, car je savais que Nathalie, malgré son amitié et sa bienveillance, était choquée que je « couche » aussi vite et chez elle.

Enfin, elle céda. Jean-Luc se leva et l'embrassa sur les deux joues pour la remercier. J'étais au bord de lui faire des excuses.

Nous étions emplis de gravité et de crainte quand je refermai la porte de ma chambre. Nathalie dormait à côté, j'avais peur de parler à voix haute, de faire du bruit. J'avais peur aussi en pensant à ce qui allait avoir lieu, peur de me comporter en oie blanche, d'être empotée, insensible, bref j'avais peur de mon ignorance. J'avais fait l'amour l'année passée et quelques rares fois ensuite avec un homme un peu plus âgé que moi. À part la satisfaction de ne plus être vierge, je n'avais pas éprouvé beaucoup de plaisir et celui que j'appelais « mon amant » m'avait bien fait comprendre que, oui, j'avais un certain charme, mais que dans ce domaine...

Les volets de la chambre étaient demeurés ouverts sur une nuit odorante où dominaient les chants des cigales. La lune, à son premier quartier, éclairait faiblement la pièce. Maintenant habitués à cette pénombre nous nous regardions, à quelques centimètres l'un de l'autre, debout, sans bouger.

Jean-Luc avait retiré ses lunettes. Je découvrais ses yeux, très beaux, grands ouverts qui fixaient les miens. Son regard était si doux qu'il en était presque triste. Il semblait s'offrir sans rien demander en échange, se donner complètement et pour toujours. Sans lunettes, il montrait quelque chose de caché, quelque chose de très intime.

Lentement il m'attira vers le lit en retirant mes vêtements, les siens. Il me guidait avec une infinie délicatesse, attentif au moindre de mes tressaillements, anticipant un baiser, une caresse. Ses mains sur ma peau me procuraient des ondes de plaisir qui me bouleversaient. Comme me bouleversa sa façon de me faire l'amour. Je sus tout de suite y répondre : nos corps s'étaient immédiatement accordés, « trouvés », comme il me le dira plus tard. Je réalisais que je venais de faire vraiment l'amour pour la première fois de ma vie, que j'aimais ça. Un monde de plaisir s'ouvrait devant moi, grâce à cet homme qui m'aimait et que j'aimais. La gratitude, l'envie de l'embrasser, de mieux connaître son corps, de tout lui donner du mien, tout cela m'étourdissait.

Jusqu'à l'aube nous avions fait l'amour, en chuchotant des mots parfois sans suite mais qui tous disaient le bonheur d'être ensemble. Je lui avais avoué mes peurs du début. Il avait protesté. Puis soudain soupçonneux : « D'où te vient ce savoir ? — Mais de toi ! » On en avait ri, à l'abri derrière nos mains dans la crainte d'éveiller Nathalie qui dormait de l'autre côté du mur. Souvent il avait murmuré : « Tu es plus que mon amante, tu es ma femme. »

Cette phrase, il me la murmura encore en se levant et en s'habillant. Les premières lueurs du jour entraient dans la chambre, dehors les coqs chantaient. Je ne le vis pas partir, car je m'étais endormie sous la douceur de ses derniers baisers.

Tard, dans la matinée, quand enfin je m'éveillai, je vis la pièce plongée dans l'obscurité : avant de partir, Jean-Luc avait pensé à protéger mon sommeil en fermant les volets. Sur la table de nuit un mot griffonné à la hâte : « Question à ma bien-aimée : pourquoi penses-tu que je t'ai donné rendez-vous devant la mairie ? »

Au fur et à mesure que le train se rapprochait de Paris, l'euphorie dans laquelle j'avais vécu ces derniers jours disparaissait. Me venaient à l'esprit des pensées très noires concernant mes sentiments à son égard, les siens, ma famille. Comment concilier ma vie avec celle d'un homme célèbre, un cinéaste qui tournait deux films en même temps, qui avait dix-sept ans de plus que moi ? Tout ce qui nous séparait et qui n'avait jamais existé à Montfrin s'incarnait maintenant de façon très réelle. J'en oubliais mon rendez-vous avec Francis Jeanson, fixé au surlendemain, et l'oral de rattrapage, le 13 septembre. Je tenais tant bien que mal en laisse une petite chienne d'environ trois mois que m'avait offerte un couple d'agriculteurs. Nathalie avait reçu son petit frère. Le couple nous avait assuré qu'il s'agissait de cockers, nous en avions douté mais notre désir de les adopter avait été plus fort que tout. Depuis, quelques jours s'étaient écoulés et nous n'en avions toujours pas parlé à nos mères.

Jean-Luc m'attendait, à côté de la locomotive, en costume de tweed malgré la chaleur de l'été. Quand il m'aperçut, il courut à ma rencontre et me serra dans ses bras. Je me raidis, il le sentit et s'écarta pour me regarder. Mon effroi devait se lire dans mes yeux, dans mon sourire crispé. Il s'inquiéta puis seulement alors aperçut la petite chienne dont la laisse s'enroulait par mégarde autour d'une de mes chevilles.

— Qu'est-ce que c'est?

— Un cocker qu'on m'a donné. Elle s'appelle Nadja, à cause de ton livre.

— Bienvenue, Nadja!

Jean-Luc, accroupi sur le quai, me libéra la cheville, caressa la petite chienne et accepta ses coups de langue sur le visage. J'étais un peu soulagée par cette diversion qui m'évitait de parler. Il se releva, prit ma valise et nous nous dirigeâmes vers la sortie.

À l'extérieur de la gare, il me désigna fièrement une grande voiture bleue.

— C'est la mienne.

Je me dirigeai vers elle sans faire de commentaire, ce qui le surprit. Il précisa :

— C'est une Alfa Romeo!

— Une Alfa quoi?

— Romeo, une Alfa Romeo!

— Ah bon.

Il m'ouvrit la portière, rangea ma valise dans le coffre et s'installa au volant. Il était décontenancé par mon indifférence et l'agitation de la chienne, sur la banquette arrière.

— C'est une très belle voiture, une voiture de luxe! Les fauteuils sont en cuir, le...

Il s'empêtrait dans ses explications. Mon malaise du début se transformait en une sorte de léger mépris à son égard. Pourquoi attachait-il une telle importance à une automobile? Mais il attendait une réponse, je devais dire quelque chose :

— Je n'y connais rien.

Il était de plus en plus déconcerté et réfléchissait. Nous roulions rapidement dans les rues désertes. Le silence entre nous se prolongeait, il le rompit.

— C'est rare, une fille qui se fiche des belles voitures...

Il tenta de plaisanter :

— Mais tu es justement une fille rare !

Et comme je ne réagissais pas :

— Qu'est-ce qui se passe? On dirait que je t'ennuie...

Nous arrivions rue François-Gérard devant l'immeuble que je lui avais indiqué. Il était maintenant très inquiet et moi horriblement mal à l'aise.

— Tu ne veux pas me voir? On ne dîne pas ensemble ce soir après mon tournage?

Je ne savais pas quoi lui répondre. Sa façon soudain dramatique de s'exprimer, sa souffrance si visible, si excessive, me paralysaient. Je n'avais qu'une hâte, interrompre ce tête-à-tête, m'en aller. Alors j'inventai une migraine, un parent à voir. Je mentais mal, il protestait, me reprochait de lui dissimuler quelque chose. Puis, devant mon air de plus en plus buté :

— Alors, demain soir.

— Oui, demain soir.

— Tu me jures ?

— Oui.

Il sortit la valise du coffre, nous échangeâmes un baiser maladroit et ce fut tout. Nos retrouvailles s'étaient très mal passées et j'ignorais pourquoi. Était-ce sa faute, la mienne ? Je ne comprenais plus rien. « C'est qu'il m'a énervée avec sa voiture ! » pensais-je. J'étais de mauvaise foi et ça, je le savais.

Il téléphona plusieurs fois pour me dire tour à tour son inquiétude et sa confiance « en nous ». Il répéta qu'il était déçu de ne pas dîner avec moi, qu'il m'écrirait et m'encouragea à faire de même.

Mais lui écrire quoi ?

La journée s'écoulait et je ne comprenais toujours rien à ce qui m'arrivait. Penser à lui devenait douloureux mais je ne pouvais penser à rien d'autre. L'homme qui m'avait accueillie à la gare de Lyon m'effrayait, ne ressemblait pas à celui que j'avais connu dans le midi de la France. À qui parler, à qui me confier ? Nathalie était maintenant en famille et la mienne n'allait pas tarder à se manifester. La petite chienne plus turbulente qu'à Montfrin avait déjà mis en pièces plusieurs revues, cassé une soupière ancienne et attaqué mon oreiller. Mais elle était si drôle, si affectueuse que je ne pouvais m'empêcher de m'amuser avec elle.

En début de soirée, un autre coup de téléphone m'apprit que Jean-Luc avait fait déposer un pli sur le paillasson. « Va voir, me dit-il. — Ne m'appelle plus avant demain. — Je t'attendrai autant qu'il le faut », conclut-il d'une voix qu'il voulait calme et assurée.

Sur le palier, il y avait une enveloppe qui contenait un livre, *Jean-Luc persécuté* de l'écrivain suisse dont il m'avait parlé à Montfrin : Ramuz. À l'intérieur il avait modifié le titre et cela donnait : « Grâce à Anne W. *Jean-Luc* n'est plus *persécuté.* »

Je dormis peu cette nuit-là malgré la présence apaisante de la petite chienne contre moi. Les bruits de la ville me heurtaient après le calme de Montfrin et je comprenais à quel point j'avais été protégée, là-bas. Ce château merveilleux avait abrité le début d'un amour, m'avait enlevé mes peurs, mes doutes. Je devais me montrer digne de ce lieu et de l'amitié de Nathalie. Je ne savais toujours pas si j'aimais *vraiment* Jean-Luc mais j'étais décidée maintenant à l'affronter.

Je le retrouvai le lendemain soir. Il était fatigué, le tournage de la veille avait pris du retard à cause d'une ravissante Anglaise, Marianne Faithfull, arrivée de Londres pour interpréter une chanson dans son film. Elle s'était endormie, ne s'était pas réveillée à l'heure prévue, on l'avait attendue longtemps. « Je pense qu'elle avait fumé, qu'elle était droguée, quelque chose comme ça... » Jean-Luc était choqué. Je l'écoutais avec plaisir pendant le dîner, après. Nous roulions au hasard dans les rues de Paris. Il avait mis la radio et nous écoutions du jazz quand il me dit qu'il m'aimait. « Je crois que moi aussi. » J'avais répondu spontanément.

Alors se posa la question de la nuit. La passerions-nous ensemble ? Où ? Nous étions loin de Montfrin et je redoutais ce que je n'étais pas loin de considérer comme une épreuve. Mais c'était aussi la seule façon de comprendre ce que j'éprouvais pour lui, comprendre ce mélange de sentiments contradictoires fait de désir et de refus.

Chez moi ? Il n'en était pas question.

Il me proposa son hôtel, près des Champs-Élysées.

Mais quand je le vis, ce me fut impossible. C'était trop luxueux, trop riche, j'avais besoin pour surmonter mes peurs d'un endroit plus simple, plus neutre, non vraiment je ne pouvais pas même assumer de traverser le hall. Jean-Luc le comprit. Mieux, il m'approuva. « Une fille qui se fiche d'une Alfa Romeo ne peut pas fréquenter un hôtel qui abrite des hommes d'affaires et des putes », dit-il. C'était à mon tour d'être choquée. Il le vit et improvisa aussitôt quelques calembours qui me firent rire. Il gara

sa voiture près de la porte d'Auteuil et nous restâmes un long moment enlacés, sans rien se
dire. Les quelques baisers que nous échangeâmes furent étrangement pudiques. Nous
n'avions plus le même âge comme à Montfrin,
j'étais redevenue une jeune fille et lui un
homme, un adulte. Ma timidité et ma mala-
dresse le gagnaient, mais loin de l'agacer cela
semblait l'émouvoir. « C'est comme si deux
livres entraient l'un dans l'autre, comme si l'un
s'appelait *Claudine à l'école* et l'autre *Lumière
d'août* », conclut-il gaiement en mettant sa voiture en marche.

Au bas de mon immeuble, il me demanda si
on pouvait se retrouver le lendemain, après son
tournage.

— J'ai rendez-vous avec Francis Jeanson à
5 heures pour ma leçon de philo. Après, si tu
veux.

— Cela fait un peu *Cinq à sept*, non ? La philosophie dans le boudoir...

J'éclatai de rire. Il venait de réagir exactement comme ma famille quand je leur avais annoncé fièrement ma rencontre avec Francis
Jeanson. J'évitai de lui raconter que mon grand-
père, très contrarié, avait ajouté : « Je n'ap-
prouve pas ta démarche : c'est un homme à
femmes, méfie-toi. »

Francis Jeanson habitait tout près de chez
moi, rue Raynouard. J'arrivai un peu en avance
et fis le tour du pâté de maisons pour calmer

mon appréhension. Trop occupée par Jean-Luc, je n'avais pas pensé à lui, n'avais rien imaginé. Et s'il m'avait oubliée ?

Au premier coup de sonnette, il m'ouvrit la porte et me présenta une femme, la sienne.

— Christiane.

Et à elle :

— Anne, mon élève.

Cette situation l'amusait. Il était souriant, très à l'aise et pressé de commencer « la leçon ». Il me fit entrer dans ce qui semblait être son bureau et referma la porte sur nous. Il y avait des livres et des revues partout, un canapé-lit. Ce détail me rappela « la philosophie dans le boudoir » évoquée par les Mauriac et par Jean-Luc, et pendant quelques secondes je me demandai si je n'étais pas tombée dans un piège. Il me désigna une chaise et s'installa dans un fauteuil. Je m'assis en tailleur, à même le sol, comme j'en avais l'habitude.

— On va se tutoyer, dit-il, ce sera plus simple et plus agréable. Tu peux fumer si tu veux.

Il alluma un cigarillo et moi une cigarette blonde.

— Maintenant, parle-moi un peu de toi, de tes philosophes préférés. Tu m'as dit en juillet que tu admirais Sartre et le Castor : ça tombe bien, moi aussi !

Il n'y avait rien de démagogique dans sa façon de se comporter mais une vraie attention à la personne en face de lui. Il dégageait une énergie lumineuse puissante, un désir de comprendre et d'être compris. Il choisissait ses mots avec soin, me poussait à préciser les miens. Visiblement doué pour l'échange, il me donnait envie de lui répondre, de m'ouvrir à lui. Je n'étais plus effrayée, j'étais très séduite et consciente de ma chance de l'avoir rencontré. Je le lui dis.

— Tu y es aussi pour quelque chose, c'est toi qui m'as « dragué », je te rappelle !

C'était dit sans ambiguïté, avec bonne humeur. Nous avions pris le même plaisir à converser ensemble et déjà il organisait la suite.

— Je ne suis à Paris que pour quinze jours. Si ça te va, tu viendras tous les jours à la même heure. Nous causerons, je te donnerai des livres. Demain, on pourrait tenter d'élaborer ensemble une théorie des émotions. D'ici là, essaye de m'expliquer par écrit la différence entre la conscience émotionnelle, la conduite irréfléchie et le rôle fonctionnel de l'émotion.

— C'est un oral, lui rappelai-je. L'écrit était en juin !

— Écrire aide à organiser sa pensée.

Et devant ma mine sceptique :

— La leçon est finie pour aujourd'hui. Je vais chercher Christiane et nous boirons tous les trois un whisky pour fêter notre collaboration. Tu aimes le whisky ?

— Un whisky !

Jean-Luc était indigné. Il avait écouté sans m'interrompre le récit enthousiaste de ma première leçon et la description élogieuse de mon professeur.

— Oui, Francis dit que c'est excellent un verre de whisky après la philo.

— Tu l'appelles déjà par son prénom !

— Oui et on se tutoie, aussi !

Les mots lui manquaient pour exprimer son effroi, sa désapprobation. Les mains crispées sur le volant de sa voiture, les yeux baissés, il attendait je ne savais trop quoi, de moi, de lui. Cette attitude d'enfant puni m'amusait : tout à coup, le rapport entre nous était inversé : c'était moi l'adulte.

— Démarre, lui dis-je.

Il obéit. Nous roulâmes au hasard dans les rues du quartier de la Muette, du Trocadéro et de la porte d'Auteuil. Mes deux heures avec Francis Jeanson m'avaient mise de si bonne humeur que je devenais bavarde comme une pie, sautant d'un sujet à l'autre, sans lui laisser le temps de répondre. Nous étions dans le 16e arrondissement, l'un des principaux fiefs d'Arsène Lupin. Avait-il lu *L'Aiguille creuse*? *813*? *Les Dents du tigre*? Non? Je lui proposais de lui offrir mon préféré, *813*.

— Mais tu dois me promettre de le lire !

— Oui, madame.

Jean-Luc continuait à faire l'enfant et moi l'adulte, mais cela devenait un jeu entre nous. Un jeu que nous partagions à part entière, qui lui plaisait autant qu'il me plaisait. Ma gaieté avait désamorcé sa tendance à dramatiser, tendance qui constituait une part importante de sa personnalité comme je l'apprendrais par la suite.

Dans une brasserie de la porte de Saint-Cloud, il me dit son désir de rencontrer Francis Jeanson et sa femme.

— Tu pourrais demain leur proposer de dîner ? Je suis libre tous les soirs puisque je passerai toutes mes soirées avec toi.

Cette affirmation concernant nos futures soirées me toucha, car j'y vis la preuve de son amour. Une petite voix me souffla qu'il allait trop vite et qu'il y avait quelque chose de très possessif chez lui. Je ne l'écoutai pas.

À nouveau dans la voiture, Jean-Luc redevint sérieux, grave. Il m'expliqua qu'il comprenait et appréciait mon refus de l'hôtel près des Champs-Élysées. Des amis étaient disposés à lui louer leur appartement, car ils quittaient Paris pour deux ans.

— Il sera libre d'ici à un mois, nous y serons chez nous, à l'abri des regards. Tu viendras me retrouver quand tu voudras, quand tu pourras...

Il faisait allusion à ma famille et plus particulièrement à ma mère qui n'accepterait pas que sa fille « découche ». Je n'en avais pas encore parlé, mais je craignais son retour, les ruses qu'il allait falloir inventer. Ma situation de jeune fille mineure exigeait que je lui rende des comptes, que je lui obéisse. D'anticiper tous ces problèmes me donna subitement envie de faire l'amour et ce fut moi qui proposai d'aller dormir à l'hôtel, dans n'importe quel hôtel.

Cette première nuit à Paris dissipa toutes mes craintes. Dans une chambre anonyme et moche où nous entendions d'autres gens vivre derrière les cloisons, les voitures freiner et démarrer dans la rue, nous nous étions enfin complètement retrouvés. Tout ce que nous avions éprouvé à Montfrin se reproduisit en plus fort, en plus intense. Nous nous aimions, c'était concret, cela demandait à être protégé, un lieu plus agréable où se réfugier : l'idée d'avoir bientôt un appartement acheva de me rassurer.

À 6 heures du matin, la porte de Saint-Cloud était illuminée de soleil et cela lui donnait un air radieux que je ne lui aurais jamais imaginé. Beaucoup de gens étaient encore en vacances et les seules silhouettes entrevues étaient celles d'ouvriers se rendant à leur travail.

— Ce sont toujours les mêmes qui triment, soupira Jean-Luc.

Mais la bonne humeur l'emporta et il se mit à chanter à tue-tête le premier couplet de *L'Internationale*.

Quand il me déposa en bas de chez moi, il me retint un instant par le bras.

— N'empêche, dit-il, j'ai eu bien peur durant ces dernières vingt-quatre heures. J'ai pensé que telle Titania tu allais te réveiller et voir en moi un âne.

Je ne comprenais pas.

— La reine des fées, Titania dans *Le Songe d'une nuit d'été*. Son époux, le roi des fées, lui a jeté un sort : elle doit tomber amoureuse du premier venu, fût-il un monstre. Un crétin affublé d'une tête d'âne arrive, elle s'en éprend et jusqu'à l'aube l'adore en lui faisant des déclarations d'amour enflammées. Aux premières lueurs, la forêt se réveille et elle aussi : la lumière du jour annule le sort, la malheureuse est horrifiée. Parfois, l'amour tient à peu de chose...

Et devant ma mine rêveuse :

— Lis Shakespeare et je lirai ton cher Arsène Lupin.

Il consulta sa montre.

— J'ai encore un quart d'heure. Veux-tu que je promène Nadja ?

Francis Jeanson rendait vivante n'importe quelle pensée abstraite. Des concepts ardus s'incarnaient, devenaient accessibles. Il faisait le lien entre la philosophie, les philosophes et notre vie quotidienne, en 1966. Les grands problèmes politiques et moraux de l'époque se comprenaient mieux en lisant Sartre et Merleau-Ponty qu'il évoquait souvent. Il s'adressait à moi comme si j'étais intelligente, comme si j'étais son égale. C'était nouveau. J'avais eu un très bon professeur de philosophie, en terminale, au collège Sainte-Marie. Mais cette brillante jeune femme, très investie dans sa mission pédagogique, ne nous préparait pas au monde dans lequel nous allions entrer. Francis

46

Jeanson, si. Son enseignement m'ouvrait à ce monde, me donnait le désir d'y trouver ma place.

Quand sa femme nous rejoignit avec les trois verres de whisky, je leur fis part de la proposition de Jean-Luc. Le couple ne manifesta aucune surprise.

— Pourquoi pas ce soir? proposa Francis.

Tout de suite, les deux hommes s'entendirent à merveille. Ils faisaient assaut d'intelligence, s'amusaient à se contredire, se réjouissaient quand l'un l'emportait sur l'autre. Christiane et moi n'étions pas exclues, mais nous nous tenions volontairement en retrait et suivions avec admiration leurs débats. Francis était le plus sérieux et Jean-Luc le plus farfelu. À la rationalité de l'un s'opposait la poésie inventive de l'autre. Francis creusait une pensée, Jean-Luc accumulait les coq-à-l'âne.

Parfois, je me dédoublais pour mieux contempler le quatuor que nous formions : trois adultes très brillants et une jeune fille dont ils faisaient leur égale. C'était incroyable! Dans ma famille il y avait le monde des adultes d'un côté, celui des enfants et des jeunes de l'autre qui ne comptait guère à leurs yeux. Le tournage avec Robert Bresson l'année précédente, mes liens privilégiés et quotidiens avec lui m'avaient montré qu'on pouvait vivre autrement, que j'étais digne d'être aimée, respectée, malgré mon âge et mon manque d'expérience. L'ensemble de l'équipe du film m'avait considérée comme une des leurs dans le travail. C'était comme ça que je souhaitais vivre sans savoir comment m'y prendre, où aller.

Et Jean-Luc était venu me chercher à Montfrin !

Pendant qu'il débattait avec Francis, il se retournait fréquemment vers moi pour me regarder avec amour, avec fierté. Souvent il prenait ma main, la serrait très fort. Je le regardais de la même façon, posais parfois ma tête sur son épaule. Nous étions visiblement amoureux l'un de l'autre et Francis et Christiane semblaient trouver cela normal.

À la fin du repas, il fut convenu de se revoir le lendemain pour dîner, après la leçon de philo. Une grande et belle amitié venait de naître entre nous quatre. Jean-Luc n'était plus inquiet de mes liens avec Francis, mieux, il s'en réjouissait : si cela m'était profitable, cela le serait aussi pour lui. « Ce sont nos premiers amis », dit-il. Cela me réjouissait autant que lui. L'été à Paris, maintenant, grâce à eux, se poursuivait comme à Montfrin.

En rentrant chez moi, je trouvai une lettre de ma mère annonçant qu'elle ne rentrerait pas avant une semaine tant elle se trouvait bien chez ses amis, dans le Midi. Elle s'inquiétait de me savoir seule à Paris, me proposait d'appeler untel ou unetelle si j'avais un problème ou si, plus simplement, je m'ennuyais. Elle s'inquiétait aussi à propos de Francis Jeanson : était-il

« sérieux », « correct » ? Elle me rappelait encore de ne pas oublier de réviser l'histoire, la géographie, l'anglais et l'espagnol ; de ne pas tout lâcher au profit de l'épreuve de philosophie. Pour finir, elle m'assurait de sa tendresse et de sa confiance.

Je m'empressai de lui répondre. Je racontai le charme et la beauté du château de Montfrin, la récolte des pêches avec Nathalie. Je m'attardai longuement sur les qualités humaines et pédagogiques de Francis Jeanson et sur le couple si sympathique qu'il formait avec sa femme, Christiane ; leur bienveillance à mon égard. Je n'écrivis pas un mot sur Jean-Luc et sur la turbulente petite chienne.

La lettre achevée, je mis un disque de musique mexicaine et me mis à danser seule dans le salon. J'avais gagné une semaine, sept jours entiers de liberté ! Quel bonheur !

Une de mes meilleures amies de Sainte-Marie, Blandine, était de passage à Paris. Elle était déprimée, car elle avait raté son bac et devait donc redoubler. Je lui proposai de dîner avec Jean-Luc et moi pour la distraire, mais aussi parce que j'avais maintenant envie d'introduire Jean-Luc dans le cercle de mes proches. Blandine accepta sans faire de manières : elle n'avait jamais vu un film de Jean-Luc Godard, c'est à peine si elle connaissait son nom.

Blandine et moi ne ressemblions pas exactement aux jeunes filles de notre époque.

Mon grand-père me disait : « Tu as un visage démodé », et il ajoutait parfois : « Dans ma bouche, c'est un compliment ! » Je pensais la même chose de Blandine. C'était quelqu'un d'un peu étrange, avec une peau très claire parsemée de taches de rousseur, souvent entre deux fous rires, nerveux pour la plupart. Un rien la faisait rougir.

C'est ce que Jean-Luc remarqua tout de suite et qui le ravit : « Elle rougit encore mieux que Nathalie ! » Puis il lui proposa de figurer dans une séquence de *Deux ou trois choses que je sais d'elle.* « Te voilà obligée de venir sur mon tournage, tout le monde pensera que tu accompagnes ta copine... », me dit-il. Il faisait allusion à mes refus quand il m'invitait à venir le rejoindre. Quelque chose de confus m'en empêchait, un mélange de timidité et de peur : constater « en vrai » le fossé qu'il y avait entre son monde, le monde du cinéma, et le mien ; cesser de le voir avec mes yeux pour le découvrir avec ceux des autres. À Montfrin, tout de suite, il avait été pour moi un homme, Jean-Luc. J'en avais oublié Jean-Luc Godard.

Ce fut pourtant cet homme-là que je découvris au travail, dans un café proche des Champs-Élysées. Une grande et blonde jeune femme nous guida vers un coin de la pièce en nous intimant le silence : un plan était sur le point de se tourner qui mettait en scène deux hommes assis derrière des piles de livres et qui répétaient un texte. À ma grande surprise, j'en reconnus un,

Claude Miller, qui avait été deuxième assistant sur le film de Robert Bresson.

— Silence! Moteur!

Le ton de Jean-Luc était cassant, le timbre de sa voix haut perché. Un mégot de cigarette Boyards maïs coincé entre les lèvres, il semblait tendu, nerveux. L'équipe, autour de lui, était très concentrée.

— Coupez! On recommence tout de suite! Moteur!

Je les regardais tous, les uns après les autres, retrouvant l'émotion éprouvée sur le tournage d'*Au hasard Balthazar* quand j'assistais à ce moment où toutes les respirations étaient comme suspendues. J'avais alors le sentiment que chaque cœur battait au même rythme, celui de Robert Bresson. Ici ils battaient au rythme de ce petit homme brun, autoritaire, qui n'avait plus grand-chose à voir avec la personne qui occupait maintenant ma vie.

— Coupez! On la tire! Plan suivant!

La jeune femme blonde vint chercher Blandine, et Jean-Luc nous aperçut. Il se dirigea vers nous soudain rayonnant, tendit la main à mon amie et m'embrassa sur la joue.

— Viens t'asseoir près de moi, me dit-il.

Et à la cantonade :

— Un cube pour mon invitée!

Il accompagna Blandine jusqu'à sa place, lui présenta son partenaire et leur expliqua à voix basse ce qu'il attendait d'eux. Puis il rejoignit l'équipe caméra et donna diverses indications.

Il avait perdu ce ton sec qui m'avait surpris, il semblait heureux, détendu. Quand il s'adressait à Blandine, il le faisait avec délicatesse et courtoisie. Souvent il se retournait vers moi et me souriait si tendrement qu'à mon tour je rougissais. Entre deux plans il me rejoignait pour me demander mon avis, si j'avais bien reçu les livres qu'il m'avait fait livrer le matin même et la lettre d'amour qui les accompagnait. Nous chuchotions dans l'indifférence générale : tous étaient trop occupés pour s'intéresser à nous. Jean-Luc me quittait, reprenait la séquence en cours, calme et sûr de lui. Il dégageait une autorité qui m'impressionnait tant elle tranchait avec ce qu'il était quelques minutes auparavant, près de moi. Je découvrais un homme habitué à commander et cet homme aussi me plaisait. C'était maintenant une seule et même personne : il avait momentanément cessé de se dédoubler.

— Je ne savais pas que tu connaissais Jean-Luc Godard.

Claude Miller s'était glissé à mes côtés.

— Moi non plus. Enfin, c'est récent...

Blandine avait terminé. Nous nous apprêtions à partir mais Jean-Luc nous pria de rester pour assister à la suite du tournage. Assises l'une contre l'autre nous regardions les techniciens mettre en place une nouvelle séquence. Blandine était ravie.

— Ton nouvel ami est très sympathique. Qu'est-ce que je m'amuse ! Pas toi ?

— Silence, les deux filles !

— Toujours aussi aimable, Coutard !

Jean-Luc et son directeur de la photographie s'affrontèrent un court moment, non à notre sujet mais à propos de quelque chose que je ne comprenais pas et qui ne devait pas être grave, car Jean-Luc plaisantait. Raoul Coutard bougonna jusqu'au « Moteur ! ». Ensuite, il me sembla qu'il faisait corps avec la caméra : je le trouvais très beau.

Les jours qui suivirent furent délicieux. Le soir, Jean-Luc et moi promenions Nadja avant d'aller nous embrasser au bois de Boulogne, sur les quais ou au cinéma. Je n'osais pas encore imaginer que je commençais une nouvelle vie, c'était plus vraisemblablement une parenthèse qui se refermerait avec le retour de ma famille, avec l'oral de rattrapage. Ce que je ferais après devenait une question de plus en plus concrète. Francis Jeanson me jugeait douée en philosophie et souhaitait que je poursuive mes études dans ce sens. Jean-Luc l'approuvait. L'idée d'avoir pour compagne une jeune étudiante l'enchantait. Parfois je lui confiais mon désir de devenir actrice. « L'un n'empêche pas l'autre. Tu peux passer ta licence de philosophie et tourner avec moi. » Pour lui, les choses étaient simples. Il achevait ses films pendant que je révisais. Grâce à Francis, je devenais plus agile, j'apprenais à mieux m'exprimer. « Précise ta pensée », était sa grande phrase, et je le taquinais à ce sujet. Elle devint aussi celle de Jean-Luc, nous l'utilisions à tout bout de champ.

Francis et Christiane allaient repartir en vacances. J'étais désolée de le perdre, lui craignait de s'ennuyer, privé de nos longues discussions. Alors, il décida de poursuivre l'expérience par écrit. Il me donnerait des sujets de dissertation, je les traiterais, les lui enverrais. Il les lirait et me les renverrait corrigées. Cette méthode inédite enthousiasma Jean-Luc. « Je peux moi aussi traiter ton sujet ? demanda-t-il à Francis lors de notre dernier dîner en commun. — Non, bien sûr que non », répondit Francis en riant. Ils s'appréciaient énormément.

Ma mère allait rentrer.

La veille, Jean-Luc et moi avions passé la nuit dans un hôtel de la banlieue parisienne. Nous nous étions aimés comme si nous devions ne plus jamais nous revoir. Il était désespéré, envisageait l'avenir de façon dramatique. « Marions-nous vite », répétait-il. Cela m'avait terrifiée. Si j'étais prête à l'aimer, c'était à notre façon, pas dans le mariage, pas « pour toujours ». Mais il me manquait les mots pour m'exprimer et j'avais plaidé la prudence : il fallait ne rien précipiter, cacher notre histoire d'amour pour mieux la protéger. Je lui avais rappelé la date maintenant proche de mon oral et lui avais promis de dire une partie de la vérité à ma mère, ensuite. « Ne me téléphone pas trop », lui avais-je demandé.

En attendant ma mère, je mis de l'ordre dans ma chambre, dans la salle de bains. Je regardai avec curiosité mon reflet dans la glace, au-dessus du lavabo. Était-ce l'amour de Jean-Luc ? Je me découvrais jolie, avec quelque chose d'assuré que je n'avais pas avant de le rencontrer. J'étais amoureuse, je le voyais à l'éclat de mes yeux, dans mes traits affinés, mais est-ce que d'autres le verraient?

Ma mère ne le vit pas parce qu'elle vit Nadja.

Sa colère fut immédiate. J'essayai de l'attendrir en inventant que la petite chienne avait été abandonnée et que sans Nathalie et moi... Pendant que je plaidais sa cause, Nadja se frottait à elle, et quand elle se mit sur le dos et lui présenta son ventre en signe de soumission, maman fut presque conquise. « J'admets qu'elle est mignonne », dit-elle. Puis aussitôt après : « Tes grands-parents vont être furieux : tu nous l'as imposée à moi comme à eux. » Mais résignée, elle m'annonça qu'elle passerait la fin de la semaine dans la propriété familiale de Vémars et m'invita à l'accompagner : Nadja pourrait courir et moi réviser plus au calme. Je refusai prétextant ma difficulté à me concentrer à la campagne. Elle le regretta mais se dit heureusement surprise par mon assiduité au travail.

L'unique téléphone se trouvait dans sa chambre et il ne tarda pas à sonner.

— C'est pour toi, dit-elle en me tendant le combiné. Un monsieur qui n'a pas dit son nom.

Elle quitta la pièce dans un souci de discrétion, mais je la devinais rôdant, tentant malgré elle de saisir des bribes de la conversation.

C'était Jean-Luc qui s'ennuyait déjà sans moi. Nous étions convenus, le matin, que je dînerais avec ma mère et non pas avec lui; que nous

nous retrouverions le lendemain ou, au pire, le surlendemain. Il l'avait accepté au début mais ne le supportait plus maintenant. Je dus lui répéter à nouveau pourquoi c'était impossible de se voir, là, tout de suite, comme il le souhaitait et lui annonçai que je serais à nouveau seule durant le week-end. Cette nouvelle parut l'apaiser. Je le suppliai de ne pas rappeler et m'empressai de raccrocher.

En passant devant maman, je dis pour éviter les questions :

— Je monte réviser dans ma chambre. D'accord pour dîner dans le restaurant rue d'Auteuil ?

— D'accord. Réviser quoi ?

— Géographie.

Mais quand nous rentrâmes du restaurant après avoir promené la petite chienne, il y avait une enveloppe à mon nom posée sur le paillasson. Ma mère s'étonna et s'étonna davantage encore en voyant que je tardais à l'ouvrir. Elle me pria de le faire sur un ton badin. De crainte de paraître suspecte, je m'exécutai : c'était un livre de la collection *Poésie* chez Gallimard.

— *Calligrammes* d'Apollinaire, lut-elle. Qui est venu te déposer ce cadeau ?

— Antoine.

— Quel garçon exquis !

Le prénom de mon ami m'était venu à l'esprit, pourquoi ne pas l'utiliser ? Mentir avait été facile et ma mère tranquillisée, je pus regagner ma chambre.

Comme il en avait l'habitude, Jean-Luc se servait des livres comme support à des messages. Là, il avait écrit : *À celle de la page 183, « La jolie rousse » (ne pas croire la table des matières puisqu'elle s'appelle Anne et pas Madeleine) de la part de celui de la page 124.* Je me rendis à la page le concernant où il avait souligné le début.

Je me jette vers toi et il me semble aussi que tu te jettes
*   vers moi*
Une force part de nous qui est un feu solide qui nous
*   soude*
Et puis il y a aussi une contradiction qui fait que
*   nous ne pouvons nous apercevoir*

Il avait encore souligné :

Moi j'ai ce soir une âme qui s'est creusée qui est vide
On dirait qu'on y tombe sans cesse et sans trouver de
*   fond*
Et qu'il n'y a rien pour se raccrocher

Ce poème d'Apollinaire intitulé *Dans l'abri-caverne* exprimait si bien la tristesse de Jean-Luc que j'en eus le cœur serré. Comment allais-je m'y prendre pour trouver un équilibre entre lui et ma famille ? Je ne souhaitais peiner ni l'un ni l'autre. Je n'imaginais pas ma mère accueillant Jean-Luc comme elle l'aurait volontiers fait avec mes amis Antoine et Thierry. J'ouvris le manuel de géographie en espérant au moins réviser un peu cette matière qui m'ennuyait et que j'avais systématiquement négligée tout au long de l'année. Pour le refermer aussitôt.

Jean-Luc m'avait promis d'être discret, il ne le fut pas. S'il s'en tenait à un seul coup de téléphone par jour, il se rattrapait en envoyant des lettres, des pneumatiques, des livres. Cet afflux de courrier provoqua la méfiance de ma mère. Pour passer la nuit de samedi avec Jean-Luc, je mentis et inventai que je serais chez Blandine, qu'elle appréciait beaucoup. Ma mère refusa avec fermeté. « La chambre de ton frère est libre, Blandine peut dormir ici comme elle l'a déjà fait. » J'avais tellement peur qu'elle annule son week-end à Vémars que je n'insistai pas.

En son absence, Jean-Luc vint pour la première fois à la maison. Il s'y sentit mal à l'aise tout autant que moi.

Ma petite chambre sous les toits l'émut. Il regarda attentivement les bibelots, les photos de Gérard Philipe, de ma famille et de mes amis épinglées sur les murs ; les livres alignés dans la bibliothèque ; les cahiers et les manuels scolaires sur le bureau. Enlacés sur mon lit, nous nous embrassions sans oser aller plus loin sous le regard placide de Nadja. Sur sa demande, je me levai et mis un disque de Mozart.

— *Le Concerto pour flûte et harpe*, annonçai-je avant de me recoucher contre lui.

— Tu es sûre ? Où est la harpe ?

— La harpe ne va pas tarder à intervenir.

Il rit franchement comme si je venais de dire quelque chose de particulièrement drôle.

— Anne, petite Anne, tu te trompes, c'est *Le Concerto pour clarinette* que nous écoutons !

— J'ai dû confondre les faces du disque.

La stupidité de ma réponse m'horrifia. Lui, continuait à rire.

— Tu es une fille d'une espèce très rare, tu es un animal-fleur et c'est la première fois que je rencontre un animal-fleur.

Nous sortîmes promener la petite chienne sur l'île des Cygnes, heureux tout de même d'être simplement ensemble. Jean-Luc m'apprit qu'il avait terminé ses deux tournages, qu'il commencerait bientôt le montage et qu'il était désormais plus disponible. Il souhaitait me voir tous les jours, aller au cinéma, au théâtre, au concert, connaître mes amis. Rencontrer ma mère l'effrayait mais il se disait prêt à l'affronter. Il était ce soir-là confiant, « sûr de nous », comme il le répéta à plusieurs reprises. Mon indécision parfois l'inquiétait mais cela ne durait pas. « Je sais que tu m'aimes », murmurait-il et il ajoutait, faisant allusion à ce qu'il avait vu dans ma chambre : « On ne bouscule pas un animal-fleur qui est à la veille de passer son oral de rattrapage. »

Je lui avais montré deux dissertations de philosophie corrigées par Francis Jeanson et cela l'avait passionné. « Donne-moi un sujet à traiter. » Je faisais la moue, il insistait. « Le hasard, dis-je à bout d'argument. — Tu auras ma copie demain soir. » L'idée de passer une partie de la

nuit à disserter sur ce thème le consola momentanément de ne pas la passer avec moi.

Quand ma mère revint de la campagne, dimanche soir, je commençai avec prudence à lui
parler de ma rencontre avec Jean-Luc. Je lui
confiai qu'il était amoureux de moi et que je
pensais l'être aussi. Je cachai qu'il était venu à
Montfrin et que nous étions amants. Maman
était atterrée. J'en profitai pour lui raconter que
Blandine avait joué dans son film et l'avait
trouvé très sympathique; les dîners avec Christiane et Francis Jeanson.
    — Qu'attends-tu de moi? dit enfin maman.
Tu as si bien organisé ta vie...
    Elle n'était pas agressive mais désarmée
comme si sa fille, qui avait commencé à lui échapper un an auparavant, lui échappait maintenant pour de bon. Je tentai de la prendre dans
mes bras, elle se laissa faire. J'éprouvai pour
elle une grande tendresse et un peu de peine.
    — Que tu m'autorises à le voir, maman. Pour
aller au cinéma, se promener...
    Elle se détacha de moi.
    — ... et que tu fasses sa connaissance.
    — C'est beaucoup me demander.
    Son ton sec mit un terme à cette conversa-
tion, mais j'estimai m'en tirer à bon compte:
elle ne m'avait pas demandé « si je couchais ».

    La rencontre entre elle et lui eut lieu peu
après. Elle l'appelait « monsieur » et lui « ma-

dame ». Il était intimidé, elle s'efforçait d'être polie. Comme nous nous apprêtions à sortir dîner, il l'invita à se joindre à nous. Elle refusa avec violence. Je vis alors dans ses yeux le dégoût qu'il lui inspirait. Un dégoût radical et définitif. Même lui serrer la main lui demanda un effort. « Anne ne doit pas rentrer au-delà de minuit », dit-elle sur le pas de la porte. Je me taisais, humiliée d'être traitée comme une petite fille alors que je n'étais plus censée l'être depuis longtemps. Jean-Luc prenait les choses avec humour : « C'est compliqué d'aimer une mineure ! » Et dans l'espoir de me dérider : « Ta mère finira par s'y faire. »

Je passai les jours qui suivirent à tenter de réviser la géographie. J'avais du mal à me concentrer prise entre l'amour de Jean-Luc et l'hostilité de ma mère. Néanmoins les deux me ménageaient soucieux de mon examen.

Le matin de l'oral, je trouvai sur le paillasson une grande marionnette figurant un guerrier du XVIIIe siècle, casqué, viril et brandissant un sabre. Un mot de Jean-Luc l'accompagnait : *Moi, Guillaume le Taciturne, suis chargé de veiller sur le sommeil d'A.W. et de la protéger le lendemain et les jours suivants.* À quelle heure de la nuit Jean-Luc était-il venu la déposer ?

Une grande tension régnait dans le lycée. Les candidats cherchaient leur salle, leur numéro de passage. Certains rentraient de vacances, ils étaient hâlés et reposés. D'autres affichaient la mauvaise mine de ceux qui ont passé l'été en ville. Les professeurs semblaient déjà las, pressés d'en finir.

Il y avait de très longs moments d'attente entre les épreuves, parfois presque deux heures. Les retards s'accumulaient.

Un peu avant midi, je passai coup sur coup les épreuves de langue. Je m'en tirai bien en espagnol en faisant rire mon examinateur : je racontai mon enfance à Caracas, ma scolarité un moment interrompue par la Révolution et la fuite du dictateur Pérez Jiménez.

En anglais, j'atteignis à peine la moyenne.

Vers le milieu de l'après-midi, ce fut l'épreuve de philosophie que j'eus l'impression de réussir. Il fallait tirer un sujet au hasard et le commenter pendant une vingtaine de minutes. J'eus droit au *Banquet* de Platon que nous avions étudié à Sainte-Marie. Mes conversations avec Francis m'avaient appris à mieux argumenter, à être plus précise dans le choix de mes mots et j'éprouvai presque du plaisir à parler devant cette inconnue, mon examinatrice.

Restaient l'histoire et surtout la géographie, matière que je n'avais pas pu me résoudre à réviser et que je redoutais.

L'attente fut longue, il faisait chaud dans la cour de récréation du lycée. Les garçons et les filles commençaient à se parler, à échanger des confidences. Il y avait ceux qui se vantaient d'avoir tout réussi et ceux, comme moi, qui n'osaient pas se prononcer. Nous fumions tous beaucoup. Enfin j'entendis mon nom. J'écrasai ma cigarette et courus dans la salle indiquée. Un professeur achevait de faire passer l'examen de géographie à une jeune fille. Il était en bras de chemise et transpirait. Il me désigna sa table où deux petits tas se faisaient face.

— Prenez un papier à gauche et un papier à droite.

Je m'exécutai. Dans le tas « histoire », je tirai : « La Chine de 1911 à 1939 », et c'était parfait. J'hésitai devant le tas « géographie ». L'examinateur eut un geste impatient de la main. Je tirai alors : « Économie des Pays-Bas » et demeurai pétrifiée.

— D'accord, ça ne vous inspire pas, dit-il gentiment. Prenez-en un autre.

C'était « Économie du Canada » et je demeurai tout aussi pétrifiée.

L'examinateur me désigna une place au deuxième rang.

— Allez vous asseoir là et préparez vos sujets pendant que je fais passer les épreuves au candidat qui vous précède.

Il épongea son front avec un mouchoir et je l'entendis distinctement marmonner : « Et après, Dieu merci, la journée est terminée. »

De ma place, je fis un rapide inventaire de mes possibilités : je savais tout de la Chine mais absolument rien de l'économie du Canada, comme de l'économie de tout autre pays, comme de tout ce qui avait trait à la géographie.

La situation semblait désespérée et pourtant une étrange énergie me portait, proche de celle qui m'avait habitée le jour où j'avais brusquement écrit une lettre à Jean-Luc Godard, aux *Cahiers du Cinéma*.

Le candidat qui me précédait avait tiré : « La Résistance française durant la dernière guerre », et ne savait rien. Muet, la tête baissée, il acceptait d'avance l'échec sans même faire semblant de réfléchir. L'examinateur tenta de l'aider.

— Que savez-vous de la Résistance en France ?

— Heu, la France, c'était que des Résistants.

— Mais, non, pas tous les Français ! Comment s'appelaient les Français qui n'étaient pas des Résistants ?

— Heu...

Je soufflai :

— Collabos...

— Collabos, répéta docilement le candidat.

— ... rateurs, corrigea notre examinateur en feignant de m'ignorer.

Un long silence s'ensuivit. On entendait distinctement le brouhaha dans la cour de récréation et le bourdonnement des mouches que la chaleur de cette fin d'après-midi énervait.

— Donnez-moi au moins un nom qui ait quelque chose à voir avec la Résistance !

— L'appel du 18 juin, Jean Moulin, Réseau Marco-Polo, maquis des Glières, FFI, soufflai-je encore.

Le candidat se retourna vers moi.

— Tu parles trop vite, je ne comprends pas, protesta-t-il

Pour l'examinateur, cela dépassait les bornes. Il frappa la table du plat de sa main.

— Assez ! Et taisez-vous au deuxième rang ou je vous colle d'emblée un 4 comme au crétin qui vous précède. Géographie maintenant...

Cela ne dura guère. Le jeune homme reçut un autre 4 et s'empressa de se lever, soulagé de s'en aller. Il me fit tout de même un petit signe de la main auquel je répondis. Cela acheva d'exaspérer l'examinateur.

— À votre tour, la maligne du deuxième rang !

Je pris la place encore chaude sur la chaise, devant sa table. L'examinateur transpirait de plus en plus, je voyais les larges auréoles sous ses bras, l'expression fatiguée de son visage.

— Vous commencez par quoi ?
— Histoire.

Je connaissais très bien le programme de l'année, car l'histoire, comme la littérature ou la philosophie, me passionnait. Je pouvais traiter n'importe quel sujet, celui-là, comme un autre. Je parlais de la Chine en prenant mon temps, en développant tel ou tel aspect de sa politique, les rapports de force avec d'autres pays, la Révolution culturelle qui commençait. Je citais des noms, des dates, des discours. De temps en temps il me coupait la parole pour me poser une question particulièrement pointue à laquelle je répondais sans hésiter. Au bout d'un quart d'heure, il m'interrompit.

— C'est parfait, mademoiselle, parfait. Je vous mets 15 en histoire et 15 en géographie.

— 15 en géographie?

— Je n'ai aucune envie de vous entendre disserter pendant vingt minutes sur l'économie du Canada! Si je vous avais laissé continuer sur la Chine, on serait là encore demain. Vous êtes la dernière de cette fichue journée, alors basta, ramassez vos affaires, vous pouvez sortir!

Jean-Luc m'attendait près du lycée, dans le café que nous avions repéré la veille. Plusieurs mégots de Boyards maïs dans le cendrier attestaient qu'il était là depuis longtemps.

— Alors?

Ma mine réjouie le rassura et je dus tout lui raconter depuis le début en précisant régulièrement que « rien n'était gagné ». Mes deux dernières épreuves surtout l'impressionnèrent. Non pas à cause de la chance inouïe dont j'avais bénéficié en géographie, mais à cause du sujet d'histoire que le hasard m'avait attribué.

— La Chine, dit-il d'un ton rêveur. Est-ce que je t'ai montré cette photo extraordinaire prise en juillet du président Mao Tsé-toung en train de nager avec ses principaux collaborateurs? Ils ont fait 1,5 km en 65 minutes devant une foule d'au moins 5 000 personnes massées sur les rives du fleuve! Tout ça pour démentir des rumeurs sur son mauvais état de santé!

Nous piétinions main dans la main au milieu d'une centaine de candidats parfois accompagnés par leurs parents devant un tableau où les résultats de l'oral tardaient à s'afficher. Personne ne faisait attention à personne, nous étions tous de plus en plus angoissés, Jean-Luc comme les autres. Enfin un employé afficha la liste. Dans la bousculade qui s'ensuivit, Jean-Luc usa de sa force pour atteindre le tableau, n'hésitant pas à donner des coups de coude, à écarter violemment les jeunes gens. Certains, effrayés, s'écartaient, un seul le traita de fou furieux. Il fit tout aussi brutalement le trajet en sens inverse, le visage triomphant, cette fois : j'étais reçue.

— J'en étais sûr, dit Jean-Luc.

Et il me raconta que le matin, pour la première fois de sa vie, il avait allumé un cierge dans l'église de Saint-Germain-des-Prés :

— Au fond, une plaque mentionne Descartes. Il fallait que mon geste ait un rapport direct avec la philosophie. En plus, juste à gauche, il y a la statue de sainte Anne!

Du café, j'appelai ma mère pour lui annoncer l'heureux résultat. Sans lui laisser le temps de me féliciter, je l'informai que je fêterais ma victoire avec Jean-Luc et que je rentrerais un peu tard. Aurait-elle la gentillesse de promener Nadja à ma place? Je me sentais tout à coup beaucoup plus libre. Un an auparavant, quand mon grand-père m'avait autorisée à tourner dans le film de Robert Bresson, je m'étais engagée à réussir mon baccalauréat. Ma famille et moi étions donc quittes et j'allais pouvoir vivre comme je l'entendais.

Vivre comme je l'entendais ? Cela se révéla tout de suite impossible. Ma mère n'acceptait pas Jean-Luc et me reprochait de le voir trop souvent. Elle exigeait que je rentre avant minuit, ce que je respectais rarement et cela donnait lieu à des scènes pénibles pour elle autant que pour moi. S'ajoutaient aussi les pneumatiques, les lettres et les cadeaux. « Il envahit tout », se plaignait-elle. Pour retrouver Jean-Luc, j'inventais toutes sortes de petits mensonges qui, une fois sur deux, ne la trompaient pas. Elle refusait de rencontrer Francis Jeanson dont elle se méfiait : il était devenu notre ami, donc notre complice. Qu'il m'ait aidée à réussir mon oral de philosophie ne comptait guère et que je veuille m'inscrire en première année de philosophie à la faculté lui semblait absurde. Que souhaitait-elle que je fasse de ma vie, elle n'aurait pas su le dire. « Pas ça », murmurait-elle quand la lassitude l'emportait et qu'elle souhaitait une trêve.

Francis et Christiane Jeanson rentrèrent à Paris et j'allai m'inscrire à l'université. Ce soir-là nous dînions ensemble. J'étais découragée par une journée passée à courir d'un bureau à l'autre au milieu d'une centaine d'étudiants tout aussi désarmés que moi face aux lenteurs et aux diktats d'une bureaucratie poussive. J'étais surtout déçue, car on ne m'attribua pas la Sorbonne comme je l'espérais, mais la nouvelle faculté de Nanterre. Jean-Luc et Francis n'étaient pas d'accord.

— C'est nouveau, donc sûrement plus dynamique, plaidait Francis.

Jean-Luc, lui, rêvait.

— Oui, nouveau, avec peut-être d'autres idées, d'autres désirs... Tandis que la Sorbonne, cette vieille dame désuète...

Je protestais :

— La Sorbonne est au cœur du quartier Latin où il y a plein de cafés et de cinémas !

Jean-Luc me contemplait tendrement.

— Je te charge de me raconter tout ce que tu verras et entendras à Nanterre. Quant au cinéma, maintenant que tu as trois semaines de vacances avant la fac, nous irons, deux, trois fois par jour, si tu veux, et ensuite tous les soirs : il y a tant de films que je souhaite te faire connaître...

Il se tourna vers Francis :

— Tu lui as enseigné la philo, eh bien moi, ce sera le cinéma.

— Pourquoi parles-tu au passé ? Je voulais justement proposer à Anne de m'accompagner tous les matins au bois de Boulogne. J'ai décidé de reprendre une marche intensive, nous pourrions le faire tout en poursuivant nos débats philosophiques. Qu'en pense la bachelière ?

Ce programme me convenait à merveille.

Tôt le matin, Francis passait nous prendre la chienne et moi et nous faisions le tour du lac en abordant tous les sujets qui nous passaient par la tête. « Précise ta pensée », lui demandais-je fréquemment moitié par curiosité, moitié pour le taquiner. Nous étions stimulés l'un par l'autre et tenions beaucoup à ces promenades. Je rentrais à la maison excitée par ces échanges, d'excellente humeur.

Avec Jean-Luc, j'allais au cinéma. Il souhaitait me faire aimer les films auxquels il tenait et ils étaient nombreux : Murnau, Renoir, Kazan, Fritz Lang, Rossellini et bien d'autres encore, sans oublier Louis de Funès dont il me fit découvrir l'irrésistible drôlerie. Il parlait avec finesse de chaque film, et je découvrais à quel point le cinéma était vital pour lui. Après chaque projection, dans un café ou au restaurant, il analysait le talent de tel cinéaste, la beauté de telle actrice. Avant, je me contentais d'apprécier tous les films sans les différencier. Il m'apprit à le faire et cela m'enchanta. À ma demande, il me montra trois de ses films que j'ignorais, *Les Carabiniers, Bande à part, Une femme est une femme.* J'étais impressionnée par la force et la singularité de son cinéma, par son talent. Mais j'étais en même temps troublée par Anna Karina, car je ne pouvais m'empêcher de me comparer à elle. « Je ne l'aime plus, répétait Jean-Luc. Elle a compté, elle ne compte plus. Ma vie, c'est toi. » Je le croyais, je me rassurais. Mais comment ne pas imaginer, même brièvement, qu'un jour, peut-être, il emploierait les mêmes mots à mon sujet ? Heureusement, une soirée ensemble, une lettre ou un cadeau, et je cessais d'y penser.

Ainsi, après la projection d'*Une femme est une femme* où Anna Karina était particulièrement éblouissante, il m'offrit le coffret des trente-deux sonates de Beethoven interprétées au piano par Artur Schnabel. De sa grande et belle écriture, Jean-Luc avait écrit à l'intérieur : *J'ai demandé à mon ami Louis de composer 32 sonates qui exprimeront la douleur que j'ai — chaque seconde — en te quittant et le bonheur que j'ai — chaque seconde — de te revoir. Son ami Artur les joue avec les mêmes sentiments.* Je fus heureuse durant ces trois semaines et dans mon journal que je tenais de moins en moins souvent je notai : « C'est la première fois en dix-neuf ans que je n'ai rien à faire ! »

Mais tout changea brutalement avec le retour de mes grands-parents.

La présence de la petite chienne les indigna et mon grand-père me convoqua aussitôt pour exiger que je m'en débarrasse. Je refusai et cela le mit dans une colère folle, comme cela lui arrivait parfois. Il avait alors des mots très durs, qui dépassaient sa pensée et qu'il lui arrivait de regretter ensuite. Mes liens avec Francis Jeanson achevèrent de l'exaspérer.

— Quel ascendant il a pris sur toi ! Une licence de philo ! Quelle idée absurde !

Et comme je tentais de me défendre :

— La philosophie m'a toujours terriblement ennuyé !

C'était dit avec mépris et de façon définitive. J'étais accablée : mon grand-père était la personne dont l'avis comptait le plus pour moi, j'attachais une importance considérable au moindre de ses propos. Un compliment me mettait en joie, une critique se révélait souvent dévastatrice.

À nouveau il exigea que je me sépare de la petite chienne et à nouveau je refusai. Sa colère, alors, atteignit son comble.

— Tu as toujours fait ce que tu as voulu mais plus ça va, plus ce que tu veux est fait pour ennuyer les autres. Ta volonté est dirigée contre nous et j'en ai assez, plus qu'assez ! Je fais ce que je peux pour toi, ton frère et ta mère ! Je vous fais vivre et ça, tu ne le comprends pas ! Tu nous rends la vie impossible en ne nous écoutant jamais ou en faisant le contraire de ce qu'on te demande ! J'ai quatre-vingts ans, je pourrais être mort, mais hélas pour toi, je ne le suis pas et cela me donne le droit de t'exprimer ce que je pense. Maintenant disparais et débrouille-toi pour que je ne croise jamais cette chienne !

Je courus me réfugier dans ma chambre où je sanglotai. Mon grand-père pouvait être injuste quand on défiait son autorité, mais il ne l'avait jamais été à ce point-là. Depuis la mort de mon père, il nous abritait et nous faisait vivre ma mère, mon frère et moi, mais sans nous le rappeler et encore moins nous le reprocher. Je savais ma mère hantée par la crainte de lui déplaire. Elle l'aimait plus que tout au monde, jamais elle ne prendrait mon parti contre lui. Que se passerait-il quand il apprendrait l'existence de Jean-Luc ? J'envisageai la guerre quotidienne entre elle et moi, entre moi et ma famille, et je pris peur. Jamais je ne serais capable de leur tenir tête, je me sentais lâche, perdue d'avance. Me marier me faisait tout aussi peur. C'était trop tôt pour m'engager fermement auprès de Jean-Luc. Ce jour-là, égarée dans une détresse sans fond, je doutai même de l'aimer comme je le croyais la veille encore. Désespérée, j'écrivis dans mon journal : « Oh mon avenir entre maman et les Mauriac... Ma volonté de leur échapper s'atténuera et je redeviendrai Anne, petite-fille de François Mauriac, gentille, bizarre et incapable : l'aliénation sans issue. »

Quelques jours assez noirs suivirent. Mes grands-parents m'ignoraient et je cessai de leur rendre visite. Maman qui devait subir leurs critiques m'adressait à peine la parole et se méfiait du moindre de mes gestes, de la plus insignifiante de mes phrases. Je ripostais avec hargne et m'en voulais ensuite de lui causer tant de soucis. Jean-Luc à qui je cachais l'essentiel de mes difficultés familiales, qui me voyait nerveuse et sur la défensive, me reprochait de m'éloigner de lui, de l'aimer moins. Je n'étais plus capable de le rassurer.

À la fin d'un morne après-midi dans un café du Trocadéro alors qu'il venait de me harceler de questions, je finis par dire complètement découragée :

— Peut-être, je ne t'aime pas. Tu peux me quitter si tu veux...

Il prit ma phrase au sérieux et réfléchit tandis que je tripotais la paille de ma menthe à l'eau, sans penser à rien, vidée. Puis il enleva ses lunettes, me sourit. Mais dans ses grands yeux sombres il y avait beaucoup de tristesse. Une tristesse calme, comme résignée, qui tranchait avec son agitation antérieure.

— Pardon d'avoir douté. L'amour que tu éprouves pour moi est semblable au mien à cela près que je serai toujours là quand tu auras besoin de moi.

Et devant mon silence :

— Anne, j'ai peur de te faire du mal en ce moment, je ne le voudrais pas... Moi, si tu m'en fais, cela n'a pas d'importance, je suis plus résistant. Je veux dire, j'ai plus d'années de résistance.

Je le quittai très troublée.

Seul Francis, lors de nos marches quotidiennes autour du lac, parvenait à me redonner de l'espoir.

— Tout finira par rentrer dans l'ordre. Laisse-leur le temps de s'acclimater à la nouvelle personne que tu es en train de devenir. Quant à

Jean-Luc, si tu ne souhaites pas l'épouser, du moins pas pour le moment, tu devrais lui raconter ce que te fait vivre ta famille, il serait moins inquiet !

— Si je lui répétais ce que m'a dit mon grand-père, il serait capable de débarquer chez lui et de... Déjà que Jean-Luc lui reproche de ne pas, tel Zola, écrire un retentissant *J'accuse* à propos du procès des ravisseurs de Ben Barka...

Même poursuivre m'était pénible. Francis, lui, riait.

— Tu as raison, Jean-Luc est trop impulsif, trop violent... C'est moi qui irai voir ton grand-père pour lui expliquer le sérieux de ton engagement. Mais pas tout de suite, quand tu seras à Nanterre et que la situation entre vous sera plus calme. Quant à Ben Barka, ton grand-père, si loyal au général de Gaulle, ne peut pas avoir la même radicalité que ton Jean-Luc. Et si on reparlait de cette bonne vieille phénoménologie et des structures transcendantes de la conscience ?

Mon frère Pierre, à son tour, revint de vacances. Comme les autres il poussa des cris horrifiés en découvrant la présence, chez nous, de Nadja. À l'inverse de notre père et de moi, il détestait les chiens et s'en prit à notre mère qu'il accusa d'« avoir cédé à mes caprices ». Mais il se rendit compte très vite de l'état de guerre qui régnait entre moi et notre famille et se fit plus attentif. Ma mère lui confia en se désolant ma rencontre avec Jean-Luc : « Ta sœur me ment : je suis sûre qu'elle est sa maîtresse. » Pierre vint me retrouver dans ma chambre. « C'est vrai? — C'est vrai. Tu veux le rencontrer? »

Le soir même nous dînions tous les trois dans un restaurant de la rue d'Auteuil.

Pierre aima Jean-Luc tout de suite et profondément. Ce fut réciproque. Non seulement Pierre était mon frère et nous nous ressemblions, mais il était drôle, moqueur et tendre. Avec ses yeux très bleus, sa silhouette longiligne et gracieuse, Pierre avait des airs de jeune prince russe. Jean-Luc se déclara le lendemain « impressionné par son élégance ». Ce soir-là, en regardant Jean-Luc avec les yeux de Pierre, je me sentis à nouveau amoureuse de lui et quelque chose en moi s'apaisa.

De retour à la maison, nous évitâmes de nous attarder auprès de maman. Elle, pelotonnée devant la télévision, son paquet de Chesterfield dans une main et une cigarette allumée dans l'autre, se contenta de nous adresser un vague : « Bonsoir, les enfants. — Bonsoir, maman chérie », répondit Pierre en me faisant signe de le suivre dans sa chambre.

Là, un œil sur Nadja couchée sagement au pied de son lit, il me demanda de tout lui raconter.

Pierre connaissait Montfrin, Nathalie et sa famille, et mon récit le fit beaucoup rire.

— Si la mère de Nathalie apprenait que tu as couché avec Jean-Luc au château !

Loin d'être choqué, je le sentais plutôt admiratif et devinais qu'il serait un allié précieux comme il l'avait déjà été au moment du tournage d'*Au hasard Balthazar.* Jusqu'à un certain point. Brusquement furieux, il bondit sur Nadja pour lui arracher un album des aventures de *Buck Danny* qu'elle s'apprêtait à déchiqueter.

— Par contre, ce que je ne te pardonnerai jamais, c'est ce sale chien !

Il lui donna un coup de pied, Nadja couina de détresse et je quittai la chambre, très fâchée.

Il me restait encore une semaine avant la rentrée universitaire et j'essayais d'en profiter le mieux possible. Je voyais Jean-Luc presque tous les soirs. Nous allions au cinéma et nous nous embrassions et nous caressions, ensuite, dans sa voiture en écoutant la radio, en faisant des projets. Il souhaitait se rendre en Chine avec moi et envisageait un film en noir et blanc que nous tournerions ensemble, au retour. L'appartement promis serait libre bientôt et nous prenions avec plus ou moins d'humour ce que nous appelions la « chasteté forcée ». Nous espérions que ma mère irait passer le week-end à la campagne et que nous aurions au moins une nuit à l'hôtel.

À la maison, j'évitais ma famille autant qu'elle m'évitait. Tous les conflits avaient lieu autour de Nadja, devenue une sorte de paratonnerre. Elle était joyeuse, très remuante et continuait à s'attaquer aux revues et aux livres. Un soir, je racontai à Jean-Luc comment elle avait mis en miettes les *Mémoires d'une jeune fille rangée*. Depuis que je fréquentais quotidiennement Francis, mon admiration pour Sartre et Simone de Beauvoir s'approchait de l'idolâtrie et leurs livres m'étaient devenus indispensables. Jean-Luc, lui, s'extasia :

— Nadja est un Garde rouge !

Il félicita la chienne qui somnolait sous la table du restaurant où nous dînions :

— Continue ta Révolution culturelle, camarade !

Et à moi qui riais :

— Je parle sérieusement. La manifestation du 1er octobre à Pékin à l'occasion du 17e anniversaire du communisme chinois a été placée sous la garde de la Révolution culturelle et des Gardes rouges ! As-tu lu cet extrait du *Monde* que je t'ai donné ? Celui qui relate le discours du maréchal Lin Biao dénonçant l'abominable collusion soviéto-américaine ?

Sur ce terrain, j'avais du mal à le suivre.

Lui me suivait volontiers sur les miens. Après Nathalie, Blandine et Pierre, il fit la connaissance d'Hélène, Thierry, Jacques, Hervé et Jean-Michel qui l'acceptèrent immédiatement, sans avoir vu aucun de ses films. Jean-Luc ne ressemblait en rien aux autres adultes et cela leur plaisait. Lui s'intéressait à eux, posait beaucoup de questions sur leurs études, les idées qu'ils se faisaient de l'avenir. Il était sensible à la gravité de Nathalie, à la fantaisie de Blandine et à la féminité insolente d'Hélène.

Durant le dernier week-end avant la rentrée universitaire, Pierre renonça à suivre notre mère à la campagne pour témoigner que je dormais bien à la maison, dans la chambre voisine de la sienne. Jean-Luc, lui et moi allâmes voir *À l'est d'Eden*. Ensuite, au restaurant, nous parlâmes longuement de James Dean.

— C'est Kazan qui a inventé le jeu de Dean, la preuve, c'est que Dean est beaucoup moins bon dans *La Fureur de vivre* et dans *Géant*, dit Jean-Luc. Dean était difficile, capricieux et indiscipliné... Et au final, c'est Dean qui vole la vedette à ses partenaires et à Kazan lui-même !

Pierre et moi l'écoutions, ravis, passionnés. Notre attention amusa Jean-Luc.

— J'ai l'impression d'être un maître d'école face à deux enfants très sages !

Nous avions été bien ensemble et nous nous séparâmes avec simplicité. Pierre avait compris que je ne rentrerais pas avec lui, mais ne chercha pas à en savoir plus. Il nous quitta avec ce seul commentaire :

— Quand même, me laisser Nadja, vous poussez loin le bouchon... C'est même pas un vrai cocker... Vous verrez comme elle sera moche en grandissant !

— Nadja est un Garde rouge ! riposta Jean-Luc.

— Hein ? Il faudra que tu m'expliques...

Pierre s'intéressait plus que moi à la Révolution culturelle et à tout ce qui se passait en Chine. Pendant que nous faisions la queue devant le cinéma, Jean-Luc nous avait parlé des étudiants chinois expulsés d'URSS; de la rupture des liens culturels entre Moscou et Pékin et il avait conclu : « Un nouveau monde est en route ! »

C'était à chaque fois un peu étrange de se retrouver dans une anonyme chambre d'hôtel que nous voulions la plus neutre possible. J'exagérais le regard que posait sur nous le veilleur de nuit, je croyais y déceler une méchante suspicion. Jean-Luc était plus cynique : « Tant qu'on le paye... » L'idée de se faire surprendre en flagrant délit de détournement de mineure ne lui déplaisait pas. Il y voyait le moyen le plus sûr pour parvenir à m'épouser, ce que je ne désirais toujours pas.

Je craignais aussi et pour les mêmes raisons de tomber enceinte. Nous faisions l'amour avec prudence, en respectant les règles peu sûres de l'époque. Jean-Luc cherchait un médecin complaisant qui m'ordonnerait la pilule sans l'autorisation maternelle. Pour l'instant, il ne le trouvait pas.

Cette nuit-là, tandis que nous dormions enfin ensemble, je me réveillai en sursaut en proie à un affreux cauchemar : j'étais une étudiante mariée et enceinte qui tournait en rond dans sa cage tel un malheureux hamster. On était loin du poétique animal-fleur que célébrait Jean-Luc...

Jean-Luc aurait souhaité me conduire en voiture à Nanterre mais j'avais exigé d'y aller seule, en métro, puis en train. La gorge serrée et l'estomac douloureux comme lors de certaines rentrées des classes de mon enfance, je suivais hébétée le flux des voyageurs au sortir de la gare de Nanterre-la-Folie. Il y avait beaucoup d'étudiants, de professeurs, de mécaniciens de chez Simca et d'ouvriers, algériens pour la plupart. Nous suivions ensemble et en silence une sorte de chemin qui deviendrait, peut-être un jour, une route. Des groupes de jeunes enfants emmitouflés nous croisaient pour rejoindre une invisible école. Ils semblaient encore endormis, comme moi, comme beaucoup d'autres. De chaque côté du chemin, s'étendaient des bidonvilles misérables et les chantiers des nouveaux HLM où travaillaient les ouvriers. La faculté où je me rendais commençait à se profiler, au loin, sinistre, à l'image de tout ce que je voyais. Elle était constituée de bâtiments encore en pleins travaux, qui se voulaient modernes et fonctionnels et qui étaient surtout très laids.

Après une longue errance dans les couloirs et les escaliers, je finis par trouver l'amphithéâtre où je devais me rendre pour mon premier cours de sociologie. J'assistais, incrédule, au cabotinage d'un éminent professeur qui s'écoutait parler dans un silence absolu. Autour de moi, plus de deux cents étudiants, tous tête baissée, prenaient des notes à une vitesse folle, sans poser de questions, sans faire de commentaire. Il se dégageait de l'ensemble une poignante solitude que j'éprouvai à nouveau plus tard, dans des groupes réduits où nous devions commencer des « travaux pratiques ». Un professeur beaucoup plus jeune que le précédent nous encourageait à exprimer une opinion sur Spinoza et se heurtait à un morne silence. Étions-nous tous timides ? Abrutis ? C'était difficile à dire. J'avais beau scruter les visages de ces garçons et de ces filles, je n'en distinguais aucun qui se différenciait des autres. J'avais affaire non pas à des individus mais à une masse, et je faisais partie de cette masse.

En fin de journée, je repris le même chemin, dans les mêmes conditions et arrivai enfin chez moi après deux heures de trajet, debout, serrée au milieu d'une foule de gens tristes et fatigués. J'étais désespérée, avec l'envie de me jeter dans les bras de ma mère et de la supplier de me retirer de cette maudite université.

C'était ce qui s'était passé cinq ans auparavant quand nous avions quitté le Venezuela. Ma première journée au collège de Sainte-Marie s'était déroulée de façon si effroyable, j'avais tellement pleuré, que maman m'avait prise en pitié et retirée de cette brillante institution. Elle avait agi avec courage, en s'opposant à ses parents et à l'ensemble de notre famille. Sur les conseils d'amis, elle m'avait inscrite dans un médiocre cours privé, à l'autre bout de Paris. Je regrettai vite ma faiblesse du premier jour, et mon absence de combativité, ma lâcheté me rendirent honteuse comme jamais. Deux ans après, sous les quolibets de ma famille, je voulus réintégrer Sainte-Marie pour la qualité de son enseignement, son taux élevé de réussite au baccalauréat et surtout pour effacer la honte dans laquelle j'avais vécu, jour après jour, durant ces deux années.

Mais nous n'en étions plus là, c'était moi qui avais choisi d'entreprendre une licence de philosophie même si je ne comprenais plus pourquoi. Quel rapport entre la philosophie si vivante que je pratiquais le matin avec Francis au bois de Boulogne et ce que je venais de vivre à Nanterre?

Je passai les jours suivants dans un total désarroi. Me rendre presque tous les jours à Nanterre m'accablait de tristesse. Je n'arrivais pas à accepter la durée des trajets, la foule des étudiants qui se bousculaient dans les cours et les amphithéâtres, leur indifférence à tout ou, à l'inverse, leur soudaine familiarité et le tutoiement obligatoire qui allait avec. Les cours que je suivais passivement m'ennuyaient, et prendre des notes à toute vitesse encore plus.

Le soir, fatiguée, découragée, je retrouvais un Jean-Luc passionné qui me bombardait de questions sur les débuts d'une éventuelle révolte estudiantine dont je ne décelais nulle trace. « Dans ce domaine, tout est à détruire, tout est à refaire ! » prophétisait-il. Depuis peu, il fréquentait des jeunes marxistes-léninistes.

Déclaré indésirable dans ma famille, il voulut me faire rencontrer deux hommes, non pas des amis, car il prétendait ne pas en avoir, mais deux personnes avec qui il entretenait des relations plus ou moins suivies. Notre semi-clandestinité l'attristait : il était fier de m'avoir à ses côtés, fier d'aimer et d'être aimé par une jeune étudiante, interprète de Robert Bresson, en plus. Il souhaitait me « montrer ».

Je fis ainsi connaissance du critique de cinéma au *Nouvel Observateur*, Michel Cournot, puis de François Truffaut. Je m'entendis tout de suite avec le premier, et Michel et sa femme Nella devinrent par la suite des amis précieux, comme l'étaient déjà Christiane et Francis Jeanson.

Rencontrer François Truffaut dans son bureau des Films du Carrosse m'intimidait, car je l'admirais beaucoup. Mais il se montra accueillant et chaleureux. Comme Jean-Luc, il vénérait Robert Bresson. Il me posa quelques questions sur lui, puis sur moi. D'apprendre que j'étais une étudiante en philosophie qui lisait beaucoup de livres lui plut. J'osai lui dire que j'avais vu tous ses films et que je les aimais infiniment, avec une préférence pour *Jules et Jim* et *Les 400 coups*. Il se leva et choisit dans la bibliothèque deux livres qu'il m'offrit : *Les Deux Anglaises et le Continent* de Henri-Pierre Roché et *Les Enfants de la justice* de Michel Cournot. Après, nous allâmes déjeuner dans un restaurant russe en face de sa maison de production. L'échange entre lui et Jean-Luc fut très animé, très brillant et très joyeux. Au moment de nous séparer, il me dit : « Merci d'être entrée dans la vie de Jean-Luc, il est heureux comme je ne l'ai pas vu depuis longtemps si ce n'est jamais. » Et à Jean-Luc : « C'est vrai, au contact d'Anne, tu deviens presque sympathique ! »

Plus tard, en m'écoutant parler et reparler de cette « merveilleuse rencontre », Jean-Luc me demanda un peu inquiet : « Tu ne vas pas tomber amoureuse de Truffaut, j'espère ? »

À la maison, la guerre continuait. J'y passais le moins de temps possible, prise par mes cours à Nanterre, Jean-Luc et l'appartement des Jeanson chez qui je me réfugiais souvent. Francis continuait à être le seul qui rendait la philosophie vivante. Jean-Luc parfois en prenait ombrage et se plaignait de ne pas me voir assez. Il était sur le point d'avoir enfin les clefs de son appartement et souhaitait que je m'y installe avec lui. Soir après soir, je lui répétais que ma famille ne l'accepterait jamais, que j'étais mineure jusqu'à mes vingt et un ans et de ce fait, sous la tutelle de mon grand-père. Quand il insistait trop, je me fâchais et rentrais chez moi très perdue. Dans ces moments-là, il m'arrivait de penser qu'il m'aimait bien plus que je ne l'aimais. Cela me rendait coupable envers lui comme envers ma famille. Je me jugeais lâche, infantile, sans désir sauf celui de prendre la fuite.

À la fin d'une morne journée à Nanterre, je revins à la maison en arborant un nouveau pull-over en shetland de couleur jaune. Ma mère me demanda avec agressivité si c'était encore un cadeau de Jean-Luc et je lui répondis la vérité : je venais de l'acheter avec ce qui me restait de mon salaire d'*Au hasard Balthazar*. Mais ma mère ne me crut pas et, prise d'une colère invraisemblable, m'accusa de me faire entretenir.

— Il te donne de l'argent ! Il t'achète ! cria-t-elle plusieurs fois tandis que je protestai blessée, puis en colère moi aussi.

— Tu es sur une mauvaise pente et tu vas faire les pires conneries de ta vie, dit-elle. Heureusement que ton pauvre père n'est plus là pour voir ce que tu deviens !

Assommée par l'évocation de la mort de mon père et par le mépris terrible qui l'animait, je murmurai sur un ton que j'espérais neutre :

— Ce sont des paroles comme ça qui vont me donner le courage de partir...

Et elle, avec une haine que je n'aurais jamais pu soupçonner :

— Si tu crois que c'est pour moi que je te garde ! Depuis longtemps j'ai fait une croix sur toi ! Je me fiche de ce que tu veux ou peux faire dans la vie ! Je te garde ici uniquement à cause de mes parents, tu m'entends ? De mes parents !

Ces paroles terribles m'atteignirent profondément. Quelques heures après, je tenterais de les replacer dans le contexte douloureux où elles avaient été prononcées, de trouver des excuses au comportement de ma mère. Je me considérerais même comme la plus coupable et j'écrirais dans mon journal : « Les coups que je rends à maman avec rage me rendent malade de honte. » Mais là, dans l'instant, j'en étais incapable. Je pris ma besace, mis une laisse à Nadja qui avait suivi cet affrontement aplatie de frayeur et quittai l'appartement.

Une décision s'imposa : je devais partir. Non pas chez Jean-Luc, non pas pour toujours, mais une semaine, peut-être moins, pour me calmer, me reposer, prendre un peu de distance avec ma vie du moment.

Blandine s'ennuyait, seule, dans sa maison familiale en Normandie et m'avait invitée à venir la retrouver. Je l'appelai d'une cabine téléphonique. Elle applaudit mon idée, me fournit les horaires de train.

Un peu apaisée, je promenai Nadja en attendant l'heure du rendez-vous avec Jean-Luc.

Il prit très mal ma décision de partir et l'interdiction que je lui donnai de me rejoindre. Le ton monta entre nous. J'avais beau tenter de lui expliquer mon besoin de solitude, il ne voulait rien entendre. Il me reprochait à la fois de l'abandonner et de négliger mes études. Je lui répliquais qu'il m'étouffait, me tyrannisait, exactement comme le faisait ma famille. Je devins dure, de plus en plus fermée et quand il me fit remarquer avec aigreur que ma décision correspondait à un voyage à l'étranger de Francis, donc à son absence de Paris, je me levai indignée : cette soudaine et absurde crise de jalousie mit un terme à ce dîner. « Tu ne m'aimes plus ! protesta-t-il. — Justement, je ne sais plus du tout où j'en suis et j'ai besoin d'y réfléchir, seule, loin de toi. Ne t'avise pas de venir me voir ! » Je griffonnai le téléphone de Blandine sur un coin de la nappe et sortis avec Nadja.

La maison de la famille de Blandine était une demeure ancienne accolée aux ruines d'une abbaye du XIIIe siècle, classée monument historique. Autour c'était une campagne typiquement normande, avec des prairies, des bocages et beaucoup de pommiers. Nadja courait partout, ivre de sa liberté retrouvée. Blandine et moi reprîmes spontanément des habitudes d'adolescentes loin de l'autorité parentale. Nous nous levions et nous couchions quand nous en avions envie ou besoin. La journée, nous improvisions au gré de sa fantaisie et de la mienne. Blandine imposait d'invraisemblables menus. Un jour nous nous nourrissions exclusivement de chocolat et de fromages, un autre de glaces et de pommes de terre. Nous écoutions sans arrêt Chopin que Blandine, très musicienne, vénérait. Elle pensait que sa maison était hantée, croyait reconnaître à certains signes la présence de ses chers fantômes et voulait me convaincre. Pour cela, elle racontait les pas entendus au cours de la nuit, une lampe éteinte qui mystérieusement se rallumait, un volet qui claquait sans un souffle de vent et des hululements lugubres qui n'étaient pas ceux d'une chouette. Les extravagances poétiques de Blandine me changeaient de Nanterre, de ma famille et de Jean-Luc. Je m'amusais, nous faisions avec Nadja de longues promenades dans la campagne et j'aurais été parfaitement heureuse s'il n'y avait pas eu les appels répétés de Jean-Luc.

Que je puisse me passer de lui le faisait « atrocement souffrir », disait-il. Je lui en voulais de son insistance mais plus encore de sa volonté affichée de me refuser le peu de liberté que je lui avais demandé. S'il m'avait laissé respirer à ma guise et en me faisant confiance, je serais de moi-même rapidement retournée vers lui. Comment ne comprenait-il pas une chose aussi simple ? Quel crétin ! Je devenais méchante au téléphone ou laissais Blandine répondre à ma place.

Mais tôt un matin et malgré la violence de mes refus, il m'annonça qu'il venait me voir. Il était bouleversé par les propos que lui avait tenus ma mère au cours d'un déjeuner et devait absolument m'en parler. Je raccrochai, furieuse.

Vers midi, il gara son Alfa Romeo devant l'abbaye et se présenta pas rasé, le teint cireux, dans des vêtements sales et froissés. Il avait l'air d'un clochard. « Qu'est-ce que c'est que ce déguisement? » lui demandai-je avec agressivité. Nous nous faisions face dans le vestibule humide de la maison. Il tenta un geste vers moi et, voyant que je reculais, commença son récit, d'une voix sourde et dramatique.

La veille, ma mère l'avait invité à déjeuner et il avait accepté avec joie, croyant qu'elle cherchait à se rapprocher de lui. Ce n'était pas le cas. Ma mère voulait qu'il sache la vérité, à savoir que je ne l'aimais pas, que je me jouais de lui, par coquetterie, pour me faire les griffes. Elle me décrivit comme une fille égoïste qui ne pensait qu'à elle et qui se fichait des autres. Elle ajouta que je ferais son malheur et que je ne méritais pas qu'un homme comme lui s'attache à moi. Jean-Luc s'était alors levé, avait jeté un billet de banque sur la nappe. « Je vous interdis de salir la femme que j'aime », lui avait-il asséné avant de quitter précipitamment le restaurant.

J'étais atterrée. Dans le salon, Blandine écoutait un Nocturne de Chopin et risquait à tout moment de nous appeler pour nous inviter à la rejoindre. « Sortons », murmurai-je.

Une brume mouillée tombait et le sol était jonché de feuilles mortes. La campagne autour semblait avoir abandonné l'automne pour entrer directement dans l'hiver. C'était un paysage triste à pleurer, une scène de théâtre idéale pour une rupture.

Car c'était bien à cela que je songeais tandis que Jean-Luc continuait de se plaindre, d'exiger que je m'explique. Je ne savais pas ce qui me choquait le plus entre l'attitude de ma mère et celle de Jean-Luc ; entre la méchanceté pour moi incompréhensible de l'une et les propos aberrants de l'autre. À ce moment-là, chez Jean-Luc, tout me déplaisait : son goût du drame, ses airs larmoyants destinés à me faire pitié et qui ne faisaient qu'accroître ma colère. Je le lui dis, froidement, en le regardant à peine. J'insistai sur le fait que ma mère avait raconté n'importe quoi, mais que lui, en me poursuivant comme il le faisait depuis une semaine au téléphone, puis en venant me retrouver malgré l'interdiction que je lui avais maintes fois formulée, allait grandement contribuer à lui donner raison. Oui, je serais égoïste, oui je ne penserais qu'à moi, oui je cesserais de l'aimer, oui je le quitterais et oui, il souffrirait.

D'avoir exprimé toute cette colère me calma, de même que son silence, et je pus enfin le regarder en face. Il était comme frappé de stupeur. Je posai ma main sur son bras.

— Tu dois comprendre, lui dis-je, tu dois respecter ma liberté. Si quelqu'un me met dans une cage, je deviens folle et capable du pire.

— Quand tu m'as raconté ta cohabitation

avec Bresson, tu m'as dit qu'il t'avait mise dans une cage et que tu avais aimé ça !

— Mais lui et moi et toi et moi, ça n'a rien à voir !

D'échanger ces quelques pauvres mots sembla lui faire du bien. J'en profitai :

— Tu vas monter dans ta voiture et rentrer à Paris. Nous devons réfléchir chacun de notre côté.

Il protesta, demanda à rester davantage. Il avait d'autres choses importantes à me dire concernant notre voyage en Chine et le film que nous ferions ensemble, qui commençait à prendre forme, qui... De le voir utiliser nos projets pour servir ses desseins me remit aussitôt en colère.

— Si tu ne t'en vas pas immédiatement, je me ficherai de ce voyage et de ce film ! D'ailleurs, je commence à ne plus du tout en avoir envie !

Il pleuvait. Je me dirigeai fermement vers sa voiture et lui ouvris la portière. Il s'y engouffra à regret :

— Et Blandine ? Il faut au moins que je la salue...

— Blandine ne s'intéresse qu'à ses chers fantômes.

Il pleuvait maintenant à verse et j'étais trempée. Jean-Luc tenta une dernière fois de m'attendrir en me désignant sa veste et son chandail mouillés. Une veste en tweed usée et un chandail d'une effroyable couleur verte.

— Et puis, je déteste la couleur de ton chandail !

Sur ce reproche absurde qu'il me ferait redire, quelques mois plus tard, dans son film qui ne s'appelait pas encore *La Chinoise*, je tournai les talons.

Bien sûr, après, en écoutant distraitement des Nocturnes de Chopin, je me maudis d'avoir été aussi cruelle avec lui. J'avais honte de ma conduite qui donnait peut-être raison à ma mère et, en même temps, j'étais soulagée. Il me semblait que dans ma brutalité j'avais dit la vérité, que Jean-Luc devrait s'en rendre compte, s'il m'aimait autant qu'il le prétendait.

Le lendemain, je reçus trois longs télégrammes. Jean-Luc reprenait calmement ce qu'il m'avait déjà dit, un jour, dans un café du Trocadéro : nous nous aimions autant l'un que l'autre, de cela il était convaincu. Presque vingt ans nous séparaient qui le rendaient mieux armé que moi face aux petites et grandes souffrances de la vie, c'était donc à lui de patienter, de m'attendre. Il ajoutait qu'il ne souhaitait pas me mettre en cage, mais construire quelque chose de sérieux avec moi, « d'être deux sur la route, de dire et penser nous ».

Prévenu de l'heure de mon arrivée, il m'attendait sur le quai, à côté de la locomotive. Par prudence, il se contenta de m'embrasser sur la joue, mais fit une grande fête à Nadja. Ils jouaient à même le sol et cette image effaça celle, sinistre, que je conservais encore de lui. Sans doute y avait-il pensé car il était rasé de près et portait, sous son imperméable, un élégant costume de lainage gris. Nous prîmes tous les trois la direction de la sortie et il me proposa de boire un chocolat dans un café du Trocadéro. Après, il me reconduirait chez moi et retournerait à sa salle de montage. Il s'exprimait avec des airs d'enfant bien élevé qui semblait attendre, en retour, qu'on le complimente. « Je suis si contente de te revoir ! lui dis-je soudain en me jetant à son cou. — Moi aussi. » Il me serra longuement contre lui et je retrouvai intacte la chaleur de son corps, mon bonheur d'être près de lui.

Dans le café, à nouveau joyeux et volubile, il me raconta qu'il avait remis aux *Cahiers du Ci-*

néma une sorte de journal où j'étais très présente. Je n'y apparaissais pas sous mon vrai nom mais sous ceux d'héroïnes de roman à qui il trouvait que je ressemblais : Claudine, Alissa, Gilberte, Albertine. Il m'annonça encore en vrac que le film qu'il songeait à faire s'appellerait *La Chinoise*, qu'il se tournerait en noir et blanc, avec un petit budget et une équipe technique très réduite ; qu'il s'installerait dans son nouvel appartement dans environ trois semaines et que j'y serais la bienvenue quand je le voudrais, quand je le pourrais. Sa délicatesse à mon égard me touchait et je commençais à me sentir fière en voyant à quel point j'étais au cœur de tous ses projets, au cœur de sa vie.

En me déposant devant mon immeuble, il me proposa de dîner le soir même avec les Jeanson mais ajouta avec tact : « Sauf si ta mère en fait un drame, bien entendu. »

Prévenue elle aussi de mon retour, elle m'attendait embarrassée, presque tourmentée.

Après avoir caressé distraitement Nadja et demandé des nouvelles de Blandine, elle en vint à ce qu'elle voulait me dire à propos de son déjeuner avec Jean-Luc. Elle regrettait son comportement, me fit même des excuses. Si elle s'était autorisée à lui tenir de tels propos, c'est parce qu'un de mes amis lui avait dit que je n'aimais pas Jean-Luc, que je le rendais malheureux, etc. Cela me parut un peu étrange, car cet ami n'en était pas vraiment un, mais elle sem-

blait sincère. En fait, je me fichais complètement de cette histoire, car j'étais en train de
réaliser quelque chose de très important,
quelque chose que je devais lui dire sans tarder.

— N'y pensons plus, maman, et autant que
tu le saches, j'aime Jean-Luc.

Et sans lui laisser le temps de me répondre :

— Quand je suis partie rejoindre Blandine,
je ne savais plus où j'en étais. Maintenant, après
une semaine et différents états d'âme, je sais :
c'est clair, c'est net, j'aime Jean-Luc.

C'était si nouveau et si agréable de quitter
mes habituels « peut-être » pour cette affirmation, d'oser l'énoncer à voix haute, que je ne
pus me retenir de le répéter une troisième fois.

— J'aime Jean-Luc.

Ma mère haussa les épaules avec lassitude et
esquissa une grimace qui signifiait quelque
chose comme : « Bon, bon, changeons de
sujet. » De fait, tandis que je montais le petit escalier intérieur vers la mezzanine où mon frère
et moi avions nos chambres, elle m'annonça
que mon grand-père désirait me voir. Sa voix
calme me fit penser qu'il n'y avait rien de mena-
çant dans cette invitation, la première depuis
longtemps.

L'appartement de mes grands-parents et le
nôtre communiquaient. Au milieu de notre
petit escalier intérieur, il y avait un palier et une
porte qu'il suffisait de pousser pour arriver chez
eux. Le bureau de mon grand-père se trouvait

tout de suite sur la droite. Avec un peu d'appréhension, je cognai à sa porte.

— Ah, voilà la philosophe !

Son sourire comme le ton de sa voix étaient accueillants. Il lisait une revue étendu sur le lit qui lui servait de divan. Sur le tapis, à portée de sa main, quelques feuillets écrits attestaient qu'il avait commencé la rédaction du prochain « Bloc-notes ». Il me fit signe de le rejoindre et je m'assis par terre en tailleur.

— Le jour où tu te poseras sur une chaise, comme tout le monde, toi...

Il marqua une pause puis il reprit :

— Mais il semblerait que tu ne sois pas comme tout le monde, d'après ce que je vois et d'après ce qu'on me rapporte...

Il quitta brusquement le ton de plaisanterie et sa voix comme l'expression de son visage devinrent graves.

— J'ai été injuste avec toi l'autre jour, injuste et dur. J'ai beaucoup de soucis en ce moment, beaucoup, on me reproche de ne pas être Zola, de... Et toi, tu nous imposes ce chien dont personne ne veut ! Tu es la seule ici à me tenir tête, c'est à la fois séduisant et odieux. Quand tu veux quelque chose... Ça doit tenir à tes nobles ancêtres russes, cinq cents ans de knout derrière toi, ce n'est pas rien... Plus sérieusement, ton ami Francis Jeanson est venu me voir hier et nous nous sommes longuement entretenus à ton sujet. En l'écoutant me parler de toi, il m'a donné un autre aperçu de ta personnalité et cette jeune personne qu'il m'a fait entrevoir est plus qu'estimable...

Il me parla encore du plaisir qu'ils avaient eu à confronter leurs idées sur la morale et la politique. Il l'avait trouvé ouvert, attentif et drôle, doué d'un appétit de vivre contagieux.

Notre entretien était sur le point de se terminer, mon grand-père conclut, les yeux pétillants de malice :

— Puisque tu me sembles définitivement perdue pour l'Église catholique et la foi chrétienne, autant que tu aies pour maître à penser quelqu'un d'aussi intègre et moral que Jeanson. Finalement, tu choisis assez bien tes amis...

De retour dans ma chambre, je réalisai que le nom de Jean-Luc n'avait pas été prononcé. Était-il au courant de son existence ? Ma mère avait-elle gardé le secret ? Ou bien avait-il choisi de ne pas aborder ce sujet ?

L'hiver s'annonçait précoce. Il pleuvait beaucoup et la température baissait de jour en jour. Je partais pour Nanterre dans la nuit et rentrais de même. Le chemin entre la gare et l'université se transformait la plupart du temps en bourbier et j'avais le sentiment que nous étions tous logés à la même enseigne, les étudiants, les ouvriers et les petits enfants. C'était à peu près tout ce que j'avais à raconter à Jean-Luc en dehors des quelques tracts que je lui rapportais sans les avoir lus tant ils me semblaient rébarbatifs. Les rares discussions auxquelles j'avais tenté de participer portaient sur Michel Foucault, Althusser et Lacan considérés comme les seuls grands intellectuels de l'époque. Jean-Paul Sartre était complètement déconsidéré et cela me révoltait. Mais ces discussions soi-disant passionnées ne l'étaient pas tant que ça et ne menaient nulle part. Professeurs et étudiants en revenaient toujours au traditionnel rapport soporifique maître-élèves que rien ne semblait pouvoir ébranler. Parfois, tout de même, un cours parvenait à m'intéresser, mais ce n'était pas suffisant pour justifier à mes yeux le temps que je passais là. Il y avait de longues heures d'attente entre l'enseignement en amphithéâtre du matin et les travaux pratiques de l'après-midi. À la Sorbonne, j'aurais eu des cafés, des cinémas ou le jardin du Luxembourg pour me distraire. À Nanterre, il n'y avait rien à part une sinistre cafétéria où tout le monde se retrouvait.

J'avais pris l'habitude de m'installer au fond, derrière un pilier, seule. Je buvais des cafés noirs en mangeant d'infâmes petits pains au chocolat et en fumant cigarette sur cigarette. Parfois je consultais les quelques notes prises de-ci de-là et les manuels de philosophie que j'étais censée étudier. Mais je lisais surtout les livres que m'offrait Jean-Luc et qui m'aidaient à m'échapper loin de la faculté de Nanterre. Cette semaine-là, il s'agissait de *Tess d'Urberville* de Thomas Hardy et du Journal de *La Belle et la Bête* de Jean Cocteau. Ce dernier texte me bouleversait, jamais je n'aurais pu soupçonner qu'un tournage puisse engendrer quotidiennement une telle souffrance, une souffrance essentiellement physique pour Jean Cocteau et aussi, à un degré moindre, pour Jean Marais. Jean Cocteau s'élevait à la hauteur d'un martyre et Jean-Luc voyait dans cet héroïque tournage l'incarnation même de la noblesse du cinéma. C'était selon lui le texte le plus beau qui ait été écrit sur ce sujet.

Quelqu'un se laissa bruyamment tomber sur

une chaise à mes côtés en me demandant ce que je lisais avec tant d'attention. Je sursautai et il éclata de rire.

— Tu en fais une tête! Tu viens d'où, toi? Comment tu t'appelles?

Jusque-là, personne ne m'avait abordée de façon aussi familière. Ma timidité ajoutée à l'exaspération que me causait le tutoiement de rigueur me rendirent muette. Je contemplai apeurée le jeune rouquin au visage rond parsemé de taches de rousseur, aux yeux bleus, qui feuilletait le Journal de *La Belle et la Bête* en y allant de ses commentaires. Il se dégageait de lui une formidable aisance et une gaieté qui tranchait avec la morosité des autres.

— Alors, c'est quoi ce bouquin? T'étudies quoi au juste? Je t'offre un café?

Je fis non de la tête et entrepris de ramasser ce que j'avais disposé auparavant sur la table. Il me regardait remplir ma besace et faisait des commentaires moqueurs qui n'étaient en rien agressifs.

— Ah, les filles, on dirait que vous vous trimbalez avec votre maison... Tu es muette? Je te suis si antipathique? Oui? Eh bien tu te goures, je suis follement sympathique! Alors, on le prend ce café?

Toujours incapable de lui répondre, je fis un vague signe de la main et m'empressai de quitter la cafétéria. Lui, toujours à la même place, me cria :

— T'es marrante avec ta casquette ! On se voit demain ?

Les jours suivants je tentai de l'éviter, ce qui était relativement facile, car on le repérait de loin grâce à sa flamboyante chevelure. Il était presque toujours entouré d'un petit groupe sans cesse en mouvement qui apostrophait les étudiants. On les sentait avides d'entamer un dialogue, de secouer l'inertie ambiante, de s'amuser. J'avais envie de faire leur connaissance mais demeurais pétrifiée de timidité. À la fin d'une journée, en sortant de mon dernier cours, je tombai sur lui. Je ne portais pas mon habituelle casquette qui dissimulait mes cheveux et il me fixa, stupéfait. Mais au lieu de profiter de cette rencontre pour échanger quelques mots, je me dirigeai vers la sortie la plus proche. Il m'emboîta aussitôt le pas, j'accélérai et, comme il me suivait, je me mis à courir. Lui, toujours derrière, courait aussi en hurlant : « Solidarité des rouquins ! Solidarité des rouquins ! » L'un derrière l'autre nous traversâmes à toute allure plusieurs couloirs jusqu'à ce qu'enfin il se lasse et abandonne la poursuite. J'étais à bout de souffle, fière d'avoir couru si vite et très amusée : c'était comme dans un film de Louis de Funès !

Une enveloppe m'attendait chez moi qui contenait le numéro des *Cahiers du Cinéma* dont m'avait parlé Jean-Luc. Je m'enfermai dans ma chambre pour le feuilleter à mon aise, loin des regards curieux de ma mère ou de mon frère.

Une photo noir et blanc de Paul Newman dans *Torn Curtain* d'Alfred Hitchcock était en couverture. Je passai rapidement sur différentes critiques et sur le grand entretien avec Elia Kazan pour arriver page 47 où commençait le texte que je cherchais et qui était intitulé « Trois mille heures de cinéma ».

Jean-Luc y relatait des moments dont il avait dû me parler mais que j'avais oubliés ; des fragments d'instants passés ensemble : « Pris un chocolat avec Albertine. Elle veut changer la couleur de ses cheveux. Je lui dis qu'il faudra alors aussi détruire le tableau de Renoir auquel elle ressemble », ou : « Francis Jeanson, par le biais de Gilberte, m'annonce que Sartre refuse une fois de plus un entretien avec les *Cahiers*. Pourquoi faut-il toujours que l'image et le son soient tellement méprisés par les puissants de ce monde ? »

C'était troublant. Si j'avais tenu le même jour mon journal, ce que je faisais parfois encore, j'aurais poursuivi sur mon idée de changer la couleur de mes cheveux et sur la façon dont Jean-Luc m'avait définitivement convaincue de mon erreur. Il m'avait cité le peintre Renoir, certes, mais il m'avait surtout entraînée au cinéma voir ce qu'il appelait « Un hymne aux roux ». Grâce à lui j'avais découvert éblouie, bouleversée, *Le Fleuve* de Jean Renoir.

Je poursuivis ma lecture, tour à tour amusée et déconcertée. Est-ce que je me retrouvais dans les esquisses qu'il traçait de moi ? J'avais conscience

105

de l'inspirer, d'être le point de départ d'une réflexion très personnelle. C'était nouveau, je ne savais pas encore si cela me plaisait ou pas. Je pensai alors à *La Chinoise*, ce film qu'il projetait de faire. Est-ce qu'il ressemblerait à ce que j'étais en train de lire ? Nous en parlions rarement, trop occupés au jour le jour par ce que nous vivions ensemble ou séparément. Je savais qu'il souhaitait rencontrer les rédacteurs de différents journaux et revues tels que *L'Humanité*, *L'Humanité nouvelle* et *Les Cahiers marxistes-léninistes* ; qu'il fréquentait des militants de ces organisations. Quelques jours auparavant, il m'avait dit sur le ton de la plaisanterie que son film serait « l'histoire d'une cellule de Robinsons dont le marxisme serait le Vendredi ». Pour ajouter aussitôt après : « Mais peut-être pas. »

Deux moments de son journal donnaient une image assez juste de ce que nous étions alors.

« Demandé à Claudine, pendant ses heures de liberté, de me faire un rapport sur la vie universitaire à Nanterre. Il me servira éventuellement de toile de fond pour *La Chinoise*. Elle accepte et me demande pourquoi je ne tourne pas plutôt *L'Aiguille creuse*. Pour la faire enrager, je lui soutiens, ce qui est d'ailleurs vrai, que les seules bonnes pages de Colette ont été écrites par Willy. »

« En embrassant Gilberte rapidement sur le coin de la bouche dans un néon de la porte d'Auteuil, j'ai le sentiment de traverser un événement tiède et léger. Elle me parle de cette invention formidable à son avis de Sartre et Merleau-Ponty, qui fut de marier le verbe philosophique et l'adjectif romanesque. À mon avis aussi. Nous parlons avec émotion et tendresse, elle d'Ivitch, moi du séquestré de Venise, elle de *La Phénoménologie de la perception*, moi de l'étude sur Cézanne et le cinéma dans *Sens et non-sens*. Michel Foucault, Lacan et l'Alsacien marxiste ne feraient pas bon venir s'asseoir à notre table. Leur compte serait vite réglé. »

Cette dernière phrase me fit rire. Sans partager mon idolâtrie pour Jean-Paul Sartre, Jean-Luc était exaspéré par l'importance, à ses yeux excessive, que le monde étudiant, les universitaires et tous les intellectuels en général accordaient aux trois penseurs vedettes. Ils étaient à la mode et cela suffisait pour les lui rendre suspects.

Un seul fragment de son journal me déplut, car il me rappelait une soirée que j'aurais préféré oublier.

Comme souvent le soir, nous nous embrassions dans sa voiture, garée dans une rue tranquille aux abords du bois de Boulogne. Un policier nous avait demandé nos papiers d'identité et, constatant mon âge, avait rappelé que j'étais mineure. Il avait ensuite prié Jean-Luc de me ramener au plus vite chez mes parents. Il s'était exprimé froidement mais avec politesse, sans abuser de son autorité. La réaction de Jean-Luc avait été immédiate et effroyable. Avec une violence inouïe, il avait insulté le policier, en se vantant de gagner, lui, très bien sa vie, d'avoir la chance de sortir avec des jolies filles et de piloter une Alfa Romeo. Traité de « pauvre type », puis de « minable esclave d'une société pourrie », le policier resta un court instant stupéfait tandis que moi, horrifiée, je le suppliai de se taire. Le ton du policier monta, je me mis à sangloter et à bourrer Jean-Luc de coups de poing. Mes larmes et mes coups le firent s'arrêter et lui évitèrent d'être embarqué par d'autres policiers arrivés entre-temps. « Ramenez la jeune fille chez ses parents et qu'on n'ait plus jamais affaire à vous ! » lui dirent-ils. Dans la voiture j'avais pleuré sur la violence de Jean-Luc, sa haine, son mépris. Comment pouvait-il avoir été aussi tendre et l'instant suivant aussi odieux ? Lui, maintenant honteux, me jurait que cela ne se reproduirait plus jamais. Mais j'avais, ce jour-là, entraperçu une part cachée de lui, que je retrouverais parfois et que je détesterais toujours.

Jean-Luc, dans son journal, donnait une plus douce version : « En sortant du *Blue Note*, Albertine et moi nous embrassons dans ma voiture en écoutant du Vivaldi. Tout à coup, on frappe à la fenêtre et les portières s'ouvrent. C'est la police. Elle nous fait circuler. » Et là encore, je m'étonnai qu'un même événement, vécu ensemble, puisse avoir été ressenti de manière si différente. Avions-nous deux mémoires ?

Dans les jours qui suivirent la sortie des *Cahiers du Cinéma*, Jean-Luc me raconta que ses connaissances s'étonnaient qu'il sorte avec autant de jeunes filles. « Je passe pour un Dom Juan ! » Cette situation l'amusa un moment puis il revint à ce qu'il souhaitait, vivre avec moi.

Nous visitâmes enfin l'appartement du 15 rue de Miromesnil, à quelques pas de la place Beauvau, du palais de l'Élysée.

C'était un immense appartement de plusieurs pièces dont une grande cuisine et une microscopique salle de bains. Un balcon courait le long des fenêtres qui donnaient sur la rue. Situé au dernier étage, l'appartement offrait une belle vue sur le ciel et les toits de Paris.

Les propriétaires avaient laissé quelques meubles anciens, mais sinon tout manquait, à savoir, un grand lit, des tables, des chaises, des fauteuils, des bibliothèques, des tapis ou une moquette neuve. Jean-Luc, très excité, un carnet à la main, parcourait les pièces en prenant des notes. « Draps, couvertures, linge, vaisselle... Je me sens l'âme d'un jeune marié. Et toi ? »

Moi, je me laissais parfois gagner par son entrain, mais pas toujours. La peur d'être confrontée à ma famille demeurait constante, comme celle de la braver et de m'enfuir avec Jean-Luc. Je l'imaginais mal envoyer la police nous arrêter rue de Miromesnil, mais je ne l'imaginais pas non plus m'accordant l'autorisation de vivre comme je le souhaitais, un peu avec Jean-Luc, un peu chez ma mère. J'avais si peur de m'engager dans une voie au détriment d'une autre, que je ne souhaitais vivre nulle part. Du coup, l'éternelle question concernant mon amour pour Jean-Luc revenait et me torturait : puisque je manquais à ce point de courage, peut-être cela signifiait que je ne l'aimais pas assez.

Francis et Christiane Jeanson chez qui je continuais à me réfugier s'amusaient de mes états d'âme qu'ils qualifiaient de « très mauriaciens ». Je n'avais pas encore vingt ans, j'étais au cœur de conflits complexes, et me mesurer à la fois à la fougue de Jean-Luc et aux valeurs traditionnelles de ma famille demandait beaucoup de force. « Je ne suis pas certain que le Castor à ton âge et dans de mêmes conditions aurait su tout de suite comment s'en sortir », ajoutait gentiment Francis. Malgré les pluies et un froid précoce, nous continuions, chaque fois que mes horaires me le permettaient, nos promenades matinales autour du lac du bois de Boulogne. Nadja devant, nous derrière, nous débattions avec délice de la phénoménologie si chère à son cœur et au mien.

Début novembre, un dérèglement climatique d'une ampleur rare paralysa une partie de l'Europe. En Italie, les inondations tournèrent très rapidement à la catastrophe. Des images d'actualités, au cinéma et à la télévision, montraient la ville de Florence envahie par les eaux : l'Arno avait débordé, le musée des Offices et d'autres musées étaient sous la boue, leurs chefs-d'œuvre très endommagés ou irrémédiablement détruits. Florence et Venise furent déclarées villes sinistrées, puis les inondations ravagèrent la Toscane, la Vénétie et la Lombardie.

Jean-Luc et moi allions presque tous les soirs au cinéma voir les nouveaux films qui sortaient chaque semaine. Les actualités montraient une population italienne qui luttait contre les eaux pour sauver des vies, des maisons mais aussi et de façon tout aussi désespérée, des trésors historiques. Tous ces efforts rendus dérisoires par la violence des éléments m'impressionnaient autant que les films qui suivaient, *Le Deuxième Souffle* de Jean-Pierre Melville ou *Cul-de-sac* de Roman Polanski, pour ne citer que les meilleurs.

Les tragiques images de l'Italie impressionnaient aussi Jean-Luc mais pas pour les mêmes raisons. Il s'émerveillait de constater la souveraineté de la nature sur les hommes et la destruction de tous ces chefs-d'œuvre l'enthousiasmait. « Tant de siècles de culture balayés par la puissance des eaux, quelle leçon de modestie pour nous autres les humains qui pensons dominer le monde ! Il faudrait que la Seine déborde à son tour et engloutisse le Louvre, le Grand Palais et tutti quanti ! » répétait-il avec un mélange de provocation et de conviction. Les images du peuple italien en lutte retenaient davantage son attention, car elles lui permettaient de revenir au combat des Gardes rouges, en Chine. La Révolution culturelle chinoise lui semblait le juste antidote à la vieille culture européenne.

La Seine, Dieu merci, ne sortait pas de son lit,

mais des pluies diluviennes s'abattaient sur la France, sur Paris. Se rendre à Nanterre devenait une entreprise difficile et je tentai de me servir de ce prétexte pour ne pas y aller. Mais Jean-Luc, sur ce sujet, était plus exigeant que ma famille : je ne devais pas négliger mes études. Malgré mes réticences, il insista pour m'accompagner en voiture à Nanterre : il m'attendrait à la cafétéria et me ramènerait ensuite chez moi. Je lui avais jusque-là interdit de se montrer, le jugeant « trop voyant ». Mais je cédai.

Ce que je craignais ne tarda pas à se concrétiser.

Il ne fallut pas plus de quarante-huit heures pour que beaucoup d'étudiants le reconnaissent et répandent la nouvelle : Godard était sur le campus de la faculté de Nanterre. On le voyait au volant d'une Alfa Romeo bleue en compagnie d'une jeune étudiante en caban et casquette, à la cafétéria fumant des Boyards maïs et prenant des notes, puis retrouver la même étudiante, etc.

Au sortir d'un cours magistral, je fus grossièrement abordée par un garçon plus âgé que moi. Sans me laisser la possibilité de me défendre il attaqua *Au hasard Balthazar* et le cinéma de Robert Bresson en général puis, avec une agressivité proche de la haine, la présence de Jean-Luc Godard à mes côtés. Je tentai de m'enfuir mais il m'emboîta le pas en hurlant son mépris pour « les imposteurs du cinéma français » et les idiotes de la bourgeoisie qui se compromettaient avec eux.

Je n'étais plus très loin de la sortie quand surgit le flamboyant rouquin. Mon agresseur aussitôt cessa de m'importuner et prit la direction inverse. « On le boit, ce café ? » Mon expression effrayée n'échappa pas au rouquin qui baissa de deux tons sa voix tonitruante. « Je te fais si peur que ça ? » Il semblait amical et chaleureux. Je tentai de lui dire en souriant qu'il ne me faisait pas peur mais qu'on m'attendait. « Une autre fois, alors ? — Oui, une autre fois, promis. » J'étais sincère, il me crut et me tendit la main. « Je m'appelle Dany. Et toi ? » Je lui dis mon nom et m'éloignai. Mais avant de quitter l'étage, j'entendis à nouveau sa voix tonitruante me crier : « À bientôt, Anne Machin Chose, mais n'oublie pas : solidarité des rouquins ! » Pour lui, au moins, j'étais une inconnue, une étudiante parmi les autres.

Dans la voiture, je racontai à Jean-Luc l'agression dont je venais d'être victime. Il freina brutalement et voulut faire demi-tour. « Je vais lui casser la gueule ! » cria-t-il blême de rage, à nouveau animé d'une violence qui me stupéfia. Au même moment un flash nous éblouit : un photographe avait surgi devant le capot de la voiture. « Je vais l'écraser ! » cria à nouveau Jean-Luc. Mais l'inconnu s'enfuit. Je réussis à le convaincre de démarrer. Puis je lui dis qu'il ne devait plus m'accompagner à Nanterre.

La neige annoncée depuis quelques jours s'était mise à tomber, épaisse et drue, provoquant le ralentissement de toutes les voitures.

Jean-Luc conduisait habilement et l'Alfa Romeo parvenait tant bien que mal à se faufiler dans les embouteillages. Entre nous la discussion se poursuivait : il insistait pour continuer à m'accompagner à Nanterre, je persistais dans mon refus. Finalement, j'eus gain de cause : s'il ne se rangeait pas à mon désir, j'abandonnais ma licence de philo.

Nous approchions de la place de l'Étoile, Jean-Luc alluma la radio qui annonçait une météo de plus en plus problématique pour les jours suivants. Cela le désolait.

— Tu vas mourir de froid dans ton train de banlieue et à Nanterre. Je vais t'acheter des vêtements plus chauds que ton caban.

Il réfléchit.

— Un manteau militaire fourré comme en portent les Chinois, voilà ce qu'il te faut !

— Et tu vas le trouver où ?

— Je vais demander à l'ambassade de Chine. Comme ça je verrai où ils en sont par rapport à notre voyage, car ils n'ont pas répondu à mon courrier. Nos visas, tu te souviens ?

Il neigea sans discontinuer toute la nuit et le lendemain. Le trafic ferroviaire s'en trouva si perturbé qu'on annonça une paralysie momentanée des trains de banlieue.

De ma chambre, je regardais la neige tomber sur les toits des immeubles déjà blancs, sur la cour de récréation de l'école communale en dessous, au coin de la rue François-Gérard et de la rue La Fontaine. Je jubilais exactement comme lorsque j'étais adolescente, quand un événement m'empêchait d'aller au collège. Pierre avait réussi à convaincre notre mère de rester à la maison et dormait encore. J'écoutais *Le Concerto pour clarinette*, allongée sur mon lit avec Nadja, en fumant une cigarette et en rêvant à ce que serait une vie auprès de Jean-Luc, notre voyage en Chine. Parfois, cette perspective cessait de me faire peur et j'éprouvais alors un sentiment proche de l'exaltation.

On cogna à la porte et maman entra.

Depuis l'intervention de Francis Jeanson, mes grands-parents avaient cessé de nous critiquer ma mère et moi, et une paix relative régnait à la maison. Si je sortais souvent le soir, je m'efforçais de rentrer vers minuit. Ma mère continuait de protester, mais avec moins de conviction. Depuis que je lui avais déclaré que j'aimais Jean-Luc, elle évitait d'en parler, comme si les mots rendaient les choses trop concrètes, trop crues. Maman, depuis fort longtemps, se protégeait par le silence en espérant que ce qui ne se disait pas n'avait pas d'existence.

— Tu me fais une place ?

Je me poussai, poussai Nadja, et maman s'installa sur le lit. Elle aussi fumait une cigarette. Nous écoutâmes un moment en silence *Le Concerto pour clarinette*.

— Quand on souffre trop, la musique classique et Mozart en particulier font tellement mal..., murmura-t-elle soudain. Tu verras...

Maman avait cette particularité de s'exprimer parfois de façon abrupte. Ses mots retentirent comme une mauvaise prédiction et j'en eus le cœur serré. Mais déjà elle parlait d'autre chose, des vacances de Noël à la montagne, dans le petit hôtel au-dessus de Megève où nous étions l'année passée. Elle comptait sur ses doigts.

— Côté parents, nous serons trois. Côté jeunes, vous êtes vingt avec tous vos amis. Vous serez au moins trois ou quatre par chambre. Avec qui souhaites-tu partager la tienne ?

— Blandine, Hélène et Nathalie si elle peut venir.

Ma mère approuva : elle les appréciait beaucoup, surtout Blandine et Nathalie dont elle me demanda des nouvelles. Je lui répondis distraitement, réalisant tout à coup que les vacances de Noël duraient une dizaine de jours et que je n'en avais pas encore parlé à Jean-Luc. Comment prendrait-il cette séparation ? Mais je ne me posai pas longtemps la question : être loin de lui, de toutes les façons, m'était insupportable. Comprendre à quel point j'avais besoin de sa présence me procura une grande joie : n'était-ce pas la preuve que je l'aimais ? Que je l'aimais pour de bon ?

— Il ne neige plus, dit maman. Et si tu en profitais pour promener la chienne ?

Au milieu de l'après-midi, Jean-Luc téléphona. Il appelait d'un café de la rue La Fontaine et me priait de descendre, car il avait « une surprise pour moi ». J'enfilai mon caban et descendis à toute vitesse les escaliers. Avait-il trouvé le manteau militaire chinois ?

— Ferme les yeux.

J'obéis, il me prit par la main et me fit traverser l'avenue Théophile-Gautier en pouffant comme un collégien.

— Ouvre les yeux.

Nous étions sur le trottoir en face de l'immeuble de mes grands-parents et il me désignait quelque chose.

— Voilà, dit-il fièrement.

— Voilà, quoi ?

— Ma surprise.

Je ne comprenais pas. Jean-Luc riait de plus en plus.

— Regarde mieux que ça.

J'avais beau m'appliquer, je ne distinguais que des voitures sagement garées les unes derrières les autres. Certaines étaient encore recouvertes de neige, d'autres pas. À mon air stupide Jean-Luc comprit que je ne devinerais jamais et me glissa une clef dans la main.

— C'est trop fatigant pour toi, les trajets pour aller et revenir de Nanterre. Comme tu ne veux pas que je t'accompagne, je t'ai acheté une voiture. Elle est jolie, non ? C'est la Fiat 850 verte, juste sous ton nez. Elle est décapotable pour quand il fera beau. Elle te plaît ?

J'étais abasourdie. Il ouvrit la portière, m'invita à m'asseoir à ses côtés et me montra comment mettre le contact, le maniement de l'accélérateur et du frein. Il ne plaisantait pas et je crus qu'il était subitement devenu fou.

— Mais je ne sais pas conduire !

— Aucune importance. Tu vas passer ton permis, c'est une histoire de quelques semaines. D'ici là, c'est ta mère qui la conduira et qui te mènera à Nanterre.

— Oh, mon Dieu, maman...

Jean-Luc s'exprima avec la politesse exagérée d'un petit garçon, mais avec la détermination d'un adulte et ma mère mit un certain temps à comprendre de quoi il s'agissait. Mais quand elle réalisa que cet homme face à elle offrait une voiture à sa fille, son indignation éclata. Elle bafouillait, scandait chaque début de phrase par : « Ah ça, par exemple ! » Le pire fut atteint quand Jean-Luc lui donna la clef en lui suggérant de me conduire à Nanterre les jours de grand froid. « Il n'est pas question que je touche à cette voiture ! » hurla ma mère en jetant la clef. « Vous voulez donc que votre fille tombe malade ? » répondit Jean-Luc.

J'assistais à cette scène, pelotonnée dans un fauteuil du salon, muette, partagée entre l'envie d'exploser de rire et celle de sangloter. Dans un éclair de lucidité je compris que ces deux personnes que j'aimais, maman et Jean-Luc, ne pourraient jamais s'entendre sur rien, qu'ils ne parleraient jamais la même langue. Ils s'invectivaient maintenant comme deux sourds, sans s'écouter. Ma mère traitait Jean-Luc de tous les noms, il allait faire de même, et je tentai un vague « ce n'est pas si grave... ». Elle se tourna alors vers moi et me considéra un instant comme quelqu'un dont elle avait oublié l'existence. Elle prit une longue respiration et en détournant la tête :

— Tu n'es plus ma fille si tu acceptes cet ignoble présent.

Puis elle s'enferma dans sa chambre non sans avoir violemment claqué la porte. Jean-Luc ramassa la clef.

— Ne t'inquiète pas, elle finira par s'y faire. On va l'essayer ta voiture ?

Je ne pris pas de leçon de conduite et ma voiture demeura plusieurs semaines garée devant le 38 avenue Théophile-Gautier. Quelques mois plus tard, lors d'une projection de *La Chinoise*, ma mère s'étrangla de rage en entendant Juliet Berto qui interprétait une fille de la campagne se prostituant dire : « Maintenant ça va beaucoup mieux et avec mon argent j'ai pu m'acheter une Fiat 850. » La Fiat verte figurait d'ailleurs à l'image vers la fin du film. Véronique, mon personnage, l'utilisait pour assassiner deux hommes dont un par erreur... Ma mère prit ces séquences comme une méchanceté délibérée de Jean-Luc à son égard et n'en démordit pas.

Cette Fiat que je ne conduirais jamais connut une fin brutale et mystérieuse, en juin 1968. Mais c'est une autre histoire...

Tous les mois, je craignais d'être enceinte. Un retard de vingt-quatre heures, mi-octobre, m'avait brièvement effrayée et j'avais noté dans mon journal : « Fausse alerte ! »

Mais cette fois-ci, j'avais un retard de trois jours et un début de panique me gagnait que j'arrivais encore à dissimuler à mon entourage. Le mot avortement m'était si difficile à prononcer que je ne pouvais même pas en parler à Jean-Luc. Quant à la possibilité de devenir mère à dix-neuf ans, c'était encore pire.

Chez moi, il me semblait que l'atmosphère de l'appartement se chargeait à nouveau d'électricité mais toute à mes craintes, je ne tentais pas de comprendre. Mon frère m'avait dit : « *Ils* ne parlent plus que de ta liaison avec Jean-Luc, ça devient lassant ! » « *Ils* » regroupait les différents membres de la famille, bien sûr, mais aussi, comme me le confirmerait Pierre peu après, les amis de ma mère : ces adultes que j'aimais beaucoup condamnaient fermement notre histoire et exhortaient ma mère à refuser tout compromis.

Le mois de novembre allait bientôt s'achever et la météo était toujours aussi désastreuse. Sans Jean-Luc, je repris le chemin de Nanterre. J'étais, ce jour-là, si préoccupée que peu m'importait le contenu du cours magistral, les pluies glaciales, l'ennui.

À la cafétéria, je fus cueillie par un toni-truant : « Salut, Anne Machin Chose. Tu te joins à nous ? » Le rouquin prénommé Dany me désignait une table où il se trouvait en compagnie d'une jeune fille et d'un jeune homme. Je m'approchai sans hâte pour m'arrêter, stupéfaite :

— Dominique !

— Anne !

Nous nous étions connues il y avait de cela quatre ans quand je me morfondais dans un cours privé, quelques mois avant que je ne réintègre le collège de Sainte-Marie. La directrice de ce cours, jugeant à juste titre que je faisais beaucoup trop de fautes d'orthographe, m'avait confiée à une psychologue. Celle-ci n'avait pas trouvé de solution, mais nous avions sympathisé. Elle était communiste, athée, et vivait en banlieue, ce qui représentait alors pour moi le comble de l'exotisme. Cette dame m'avait invitée à déjeuner dans son HLM où j'avais fait la connaissance de son mari et de ses trois enfants, dont la plus intéressante, Dominique, avait mon âge.

Dominique ne ressemblait pas aux filles que

j'avais l'habitude de côtoyer. Elle ne se souciait pas de plaire, elle était farouche et très en avance sur moi intellectuellement. Elle chantait aussi à la perfection Brassens, Brel et Barbara en s'accompagnant à la guitare. Mais nous nous étions, sa famille et moi, très vite perdues de vue.

Ravie et intimidée, je m'assis à leur table. Dominique me présenta ses compagnons, Dany, et l'autre, un brun prénommé Jean-Pierre. Ils étaient étudiants en sociologie et venaient de fonder un groupe politique qui rédigeait et diffusait des tracts signés « les Anarchistes ». Elle m'en remit un paquet et, sans cesse interrompue par les deux autres, entreprit de me raconter leurs objectifs politiques au sein de la faculté. Le mot « révolution » revenait souvent dans leur bouche.

Je ne les écoutais qu'à moitié. Je revivais les conversations entendues dans la famille de Dominique où l'on défendait le droit à l'union libre, à la contraception et à l'avortement, propos qui à l'époque m'avaient un peu effarouchée. Mais maintenant cela me concernait de très près. Peut-être Dominique et sa mère avaient-elles une solution ?

Mais dans le train puis dans le métro, la peur me reprit. Une peur telle que, de retour à la maison, je courus m'enfermer dans ma chambre en feignant d'ignorer que ma mère m'appelait dans la sienne. Quelques secondes de répit et elle entra brutalement chez moi, sans frapper à la porte. Elle avait son visage des mauvais jours, son visage de déclaration de guerre.

— Ça ne peut plus durer, ce type et toi !

Et avec fureur, elle me raconta que son père recevait d'ignobles lettres anonymes dénonçant l'inacceptable liaison de la petite-fille de François Mauriac. C'étaient des lettres vulgaires, haineuses, qui en me salissant, moi, visaient à le salir, lui. Cela acheva de me bouleverser et j'éclatai en sanglots. Des sanglots convulsifs qui la déconcertèrent. Elle laissa passer quelques minutes, puis tenta un geste d'apaisement.

— Allons, allons, dit-elle.

— J'ai peur d'être enceinte !

Cette phrase que je n'avais pas choisi de prononcer l'atteignit de plein fouet. Elle se laissa tomber sur mon lit en gémissant des « Non, non, non ». Et parce que je la devinai sur le point de pleurer à son tour, je retrouvai une sorte de calme qui me permit de lui dire, avec des mots simples, ce que j'attendais d'elle : elle devait m'aider à avorter si par malheur j'étais enceinte et, de toutes les façons, m'autoriser à prendre la pilule.

Contrairement à ce que j'imaginais encore quelques heures auparavant, ma mère ne s'effondra pas longtemps. Elle se redressa, sortit son paquet de cigarettes, s'en alluma une et m'en offrit une autre. Je la savais capable d'être extrêmement courageuse dans les situations les plus graves : elle l'avait prouvé en s'engageant dans la Croix-Rouge française lors de la dernière guerre, puis durant la maladie et l'agonie de mon père.

— Tu ne m'auras décidément rien épargné, dit-elle enfin.

Elle se leva et ouvrit la fenêtre pour dissiper la fumée de nos cigarettes. Un air humide et froid pénétra dans ma chambre. Je me taisais, attendant la suite. La chienne dormait paisiblement sur le tapis, mon frère nous appelait du salon et demandait ce que « nous complotions ».

— Je vais demander conseil à mes amis.

Ma mère sortie, je ressentis une immense fatigue et un début d'apaisement qui ressemblait à ce que j'éprouvais enfant quand je mettais mon sort entre ses mains. Elle saurait ce qu'il fallait faire, elle trouverait une solution. J'évitai de m'attarder sur sa froideur et son absence de tendresse ; de repenser à son amour de jadis, si fort, si indispensable à la petite fille que j'avais été.

Elle revint peu après.

— Tu dois consulter au plus vite un médecin pour savoir si tu es enceinte ou pas et pour...

Sur son visage étrangement inexpressif passa l'ombre d'un dégoût très vite maîtrisé.

— ... pour qu'il t'ordonne cette fameuse pilule... À moins, bien sûr, que tu quittes ce type et que tu décides de redevenir une jeune fille comme les autres. Mais je suppose que c'est trop te demander ?

Je fis oui de la tête et elle détourna la sienne. Elle avait refermé la fenêtre, allumé une nouvelle cigarette et me tournait délibérément le dos.

— On m'a donné l'adresse et le numéro de téléphone d'un gynécologue. Je l'appellerai demain matin et prendrai le premier rendez-vous possible. Cerise sur le gâteau, je dois t'accompagner puisque tu es mineure ! Je te précise aussi que si tu veux avorter, il faudra aller en Angleterre, aucun médecin français n'acceptera de le faire.

— Merci, chuchotai-je.

— Pas de quoi.

En ayant terminé, elle se tourna enfin vers moi.

— Tu ne devais pas sortir, ce soir ?

— Je peux ?

— Ah, oui ! Pour une fois, c'est moi qui te le demande : je crois que dîner en face de toi me collerait immédiatement une migraine... D'ailleurs, je sens qu'elle monte...

Je retrouvai Jean-Luc et nous allâmes sur les Champs-Élysées voir le dernier film de Louis de Funès, *La Grande Vadrouille*. Dès le générique, je ressentis les élancements douloureux qui précédaient habituellement la venue de mes règles et j'eus la certitude de n'être pas enceinte. Malgré la souffrance, ce fut merveilleux de rire comme une folle avec Jean-Luc et tous ces spectateurs inconnus venus massivement s'amuser avec Louis de Funès et Bourvil. Nous les trouvions irrésistibles de drôlerie, nous étions heureux et tout le monde riait encore en sortant du cinéma.

Après un bref passage dans une pharmacie, Jean-Luc me demanda où je désirais dîner.

— Dans le restaurant russe en face des Films du Carrosse ?

— Tu espères revoir Truffaut ?

Son expression soupçonneuse me fit rire à nouveau. Sans qu'il s'en rende compte, Jean-Luc s'était mis à imiter Louis de Funès. Je le lui dis, il s'en amusa et oublia à l'instant ses craintes.

À peine assis l'un en face de l'autre, dans le grand restaurant presque vide, où deux serveurs en livrée s'affairaient au ralenti, je lui racontai tout : ma grande peur qui n'existait plus, la rencontre avec un groupe politique appelé « les Anarchistes », l'aveu à ma mère et le rendez-vous avec le gynécologue. J'étais bavarde comme une pie, joyeuse et si soulagée que j'avalais vodka sur vodka.

Une grande femme brune dînait, seule, hiératique et mystérieuse. Elle avait gardé son manteau et un col en fourrure dissimulait le bas de son visage. Elle tenait avec élégance un long fume-cigarette. Grisée de joie et de vodka et en même temps triste de la voir si solitaire, j'avais envie de l'inviter à se joindre à nous. Mais elle se leva et je la reconnus : c'était la chanteuse

Barbara! L'émotion de voir cette femme que j'admirais tant dut se lire sur mon visage.

— Oui, dit Jean-Luc, c'est bien elle. François m'a raconté qu'elle vient souvent ici et la plupart du temps, personne ne l'accompagne. Il n'a jamais osé l'aborder...

Ma mère venait de se coucher quand je cognai à la porte de sa chambre pour lui annoncer que je n'étais pas enceinte. Une lueur d'espoir brilla dans ses yeux.

— Pas la peine d'aller chez ce gynécologue, alors?

— Si, maman.

Elle me contempla un instant avec une franche hostilité, cherchant à mesurer la force de ma volonté. Puis, comprenant que rien ne pourrait me faire changer d'avis, elle me congédia.

Nous étions aussi nerveuses l'une que l'autre dans la salle d'attente du médecin. Ma mère m'en voulait de l'obliger à faire cette démarche, je le comprenais, mais j'éprouvais plus fort que tout une féroce envie de vivre à ma guise. Cela me permettait de lui tenir tête et même de ne pas trop me sentir coupable vis-à-vis d'elle. Nous étions entourées de trois femmes enceintes et quand une quatrième, très jeune, apparut, elle se pencha vers moi et chuchota : « Tout de même, quelle chance que tu ne sois pas dans l'état de cette malheureuse ! » J'opinai du menton et elle ajouta, soudain complice : « J'ai eu horreur d'être enceinte. Quand j'ai pu donner un garçon à ton père, je me suis juré qu'il n'y aurait jamais un troisième enfant... »

Le gynécologue avait l'apparence d'un bourgeois aisé, satisfait et sûr de lui. Je détestai l'examen qu'il me fit subir derrière un paravent, le ton paternaliste avec lequel il s'adressa ensuite à ma mère et à moi.

Quand il comprit que je n'avais pas encore décidé de me marier et ce que j'attendais malgré tout de lui, il ne nous cacha pas sa désapprobation. Il tenta de raisonner ma mère.

— Cette jeune fille devrait être plus chaste et vous plus autoritaire. Ne pouvez-vous pas obtenir d'elle...

— Non, répondit ma mère sèchement.

Il voulut argumenter, elle lui coupa tout de suite la parole.

— Ça nous est complètement égal, à ma fille et à moi, ce que vous pensez. Nous ne sommes pas là pour recevoir un cours de morale, nous sommes là pour que vous lui fassiez une ordonnance de manière à ce qu'elle puisse prendre la pilule.

Elle sortit son carnet de chèques et un stylo.

— Je paye, alors faites ce que je vous demande et s'il vous plaît, épargnez-nous vos commentaires.

Dans la rue, elle glissa son bras sous le mien, riant avec moi de ce qui venait de se passer. Elle répétait :

— Quel con, mais quel con !

Je la sentais fière d'elle, ravie de son audace et j'étais fière, moi, de son courage. Étions-nous enfin réconciliées ?

Jean-Luc fut très déçu quand il apprit que l'ambassade de Chine nous refusait les visas et qu'il était obligé de renoncer à son grand projet de voyage. Mais il se ressaisit vite. « Quand ils auront vu mon film, m'assura-t-il, ils nous accueilleront à bras ouverts. Les choses ne font que s'inverser. Contrairement à ce que je pensais, ce sera le film d'abord et le voyage ensuite. » Le courrier de l'ambassade de Chine ne disait pas un mot à propos du manteau militaire fourré qu'il souhaitait m'offrir et cela le désolait. « Allons dans les boutiques pour te trouver l'équivalent. Il fait trop froid pour que tu passes l'hiver dans ce caban breton. »

En cette fin d'année 1966, grâce à Mary Quant, à Londres, il y avait une extraordinaire invention dans le prêt-à-porter, un « souffle nouveau de liberté » comme le répétaient les magazines féminins. En nous promenant entre les rayons de la boutique *Victoire*, je fus frappée par la gaieté des vêtements et la gamme infinie des couleurs. Je les contemplai songeuse et Jean-Luc demanda à quoi je pensais.

— C'est pas dommage de tourner *La Chinoise* en noir et blanc ?

— C'est drôle que tu dises ça. Depuis quelques jours je me demande s'il ne faudrait pas tourner en couleurs. Des couleurs primaires, des couleurs franches, comme le jaune du pull-over que tu portes là, ou le bleu à col roulé que tu mets souvent pour aller à Nanterre.

Mais nous repartîmes sans avoir trouvé le manteau de ses rêves.

Un peu plus tard, en promenant Nadja sur l'île des Cygnes, Jean-Luc me reparla de *La Chinoise*. Les choses pour lui se précisaient. Il souhaitait engager Jean-Pierre Léaud et une jeune comédienne encore inconnue, Juliet Berto. « Tu l'as vue quand tu es venue sur le plateau de *Deux ou trois choses*, elle figurait dans la même séquence que Blandine. Tu te souviens ? » Oui, je me souvenais : elle m'avait semblé très jolie, avec un petit côté Anna Karina qui m'avait brièvement troublée. La pensée qu'elle serait sans doute beaucoup mieux que moi dans le film m'effleura et me serra le cœur. Mais Jean-Luc évoquait maintenant un jeune étudiant rencontré à Grenoble et qu'il s'apprêtait à revoir tant il lui semblait avoir sa place au sein de ce qu'il continuait à appeler les « Robinsons du marxisme-léninisme ».

Un vent très fort soufflait depuis la veille, un

vent tel que nous n'en avions jamais connu auparavant et dont les spécialistes annonçaient qu'il atteindrait 85 km à l'heure dans les rues de Paris.

— Ça pince, dit Jean-Luc.

J'adorais cette expression typiquement suisse. Je l'avais employée souvent lors de mes années de petite enfance, près de Genève, au bord du lac Léman. Mon frère et moi y avions été heureux et j'aimais que Jean-Luc soit un citoyen suisse, qu'il ait connu les mêmes paysages, les mêmes hivers. Quand il retrouvait son accent, j'étais à chaque fois aussi émue qu'amusée. Il l'avait compris et il en jouait pour me plaire ou pour m'amadouer quand nous étions en conflit.

Il faisait si froid que nous nous étions réfugiés dans le café le plus proche. Jean-Luc semblait ne plus pouvoir parler d'autre chose que de *La Chinoise*. C'était la première fois qu'il se confiait autant et c'était passionnant.

— Pourquoi filmer Le Petit Livre rouge en noir et blanc ? C'est absurde ! Le rouge si éclatant de la couverture dit à lui seul la grande Révolution culturelle !

Il se taisait, réfléchissait en tirant des bouffées de sa Boyards maïs. Je regardais son visage et à l'animation de ses yeux, je croyais le voir penser. J'attendais la suite comme on attend la suite d'une histoire. Il reprit :

— Si le film est en couleurs, il va coûter beaucoup plus cher et demander plus de moyens et plus de techniciens : mon équipe habituelle, bref, celle que tu as vue quand tu es venue sur le plateau de *Deux ou trois choses...*

Il se tut à nouveau et soudain se mit à rire.

— J'ai une idée! On va tourner rue de Miromesnil! Notre appartement sera l'appartement provisoire de mes chers petits « Robinsons du marxisme-léninisme ». Du coup, je le ferai repeindre entièrement comme je le veux et ce seront les producteurs qui payeront tout! Malin, non?

— Malin!

S'affirmait chez Jean-Luc un côté « Pieds Nickelés » qui m'amusait beaucoup. Tel Riboul-dingue, Croquignol et Filochard, il avait trouvé le moyen d'escroquer un peu ses producteurs et cela le mettait en joie.

— Mon ex-petit film en noir et blanc va leur coûter cher, mais cher... On ramène Nadja et on va au cinéma?

Jean-Luc enrageait de savoir que Kossyguine, le président du Conseil soviétique, était reçu à Paris par le général de Gaulle. Il aurait aimé manifester avec des prochinois, mais prétendait ne pas en avoir trouvé. Pour alimenter sa colère et son mépris envers ceux qu'il traitait de « salauds de révisionnistes », il voulut voir le nouveau film de Serge Bondartchouk, *Guerre et Paix*. Je n'en avais pas envie tant j'avais adoré la version de King Vidor, avec Audrey Hepburn, Mel Ferrer et Henry Fonda. Mais il tint bon : « Je suis sûr

que c'est nul ! » Il en ressortit très content :
« C'est vraiment nul ! »

Je croisai mes nouveaux amis, « les Anarchistes », alors qu'ils sortaient de la cafétéria. Ils
me dirent qu'une réunion importante aurait
bientôt lieu, que je devais me tenir prête. Prête
à quoi ? Je ne comprenais pas bien.

Il neigeait d'abondance, le sol était gelé et
nous grelottions tous les quatre. Ils portaient
des anoraks et des bonnets de laine, moi mon
caban et une casquette écossaise enfoncée sous
les oreilles. Nous avions des écharpes qui nous
dissimulaient une partie du visage pour nous
protéger du froid. Je nous trouvais comiques.

— On a l'air de conspirateurs ! On conspire
quoi, au juste ?

Le rouquin Dany se tourna vers ses camarades.

— Elle, ça ne va pas être facile de la mobiliser. Je m'en charge, allez-y, je vous rejoins.

Avec autorité, il me poussa à l'intérieur de la
cafétéria où une foule d'étudiants se pressait
autour des tables. Il trouva deux places, alla
chercher des cafés et revint en s'arrêtant souvent pour parler à ceux qui se trouvaient sur son
passage ou pour répondre à qui l'apostrophait.
Il semblait populaire et connu de tous, je n'avais
plus du tout peur de lui. Quel discours politique
allait-il me tenir ?

Aucun.

— Dominique m'a dit qui tu étais.

« Ouille », pensai-je *in petto*.

— Je ne t'aurais jamais remarquée si d'autres ne t'avaient pas regardée avec autant d'insistance.

Il lut l'étonnement sur mon visage et me fit signe de ne pas l'interrompre.

— Comprends-moi bien. Ce n'est pas que tu sois moche, tu serais même plutôt mignonne, mais enfin, tu n'es pas une beauté non plus, loin de là. Alors de voir tous ces regards sur toi, j'avais envie de comprendre. Je t'ai draguée parce que je me disais : « Cette nana a quelque chose que je ne vois pas, allons-y. » Maintenant, j'ai compris : tu as tourné dans un film d'un type que je ne connais pas, qui s'appelle Bresson, bref, on te regarde parce que tu es une actrice !

J'éclatai de rire et lui aussi. J'étais séduite par son impertinence, sa franchise et sa gaieté.

— Mais maintenant que je sais, reprit-il en riant toujours, je continue à te draguer parce que tu es assez mignonne, avec ou sans ta casquette. D'accord ?

Sa bonne humeur était vraiment contagieuse.

— Pas d'accord. Je suis amoureuse d'un autre et toi tu es mon nouvel ami.

— D'abord, on ne dit pas « ami », on dit « camarade », chère camarade. Ensuite, qui te parle d'être amoureux ? Tu as quelqu'un, et alors ? N'empêche, je te drague !

— Arrête de la baratiner, Dany, on t'attend.

Dominique se tenait devant lui bien décidée à

interrompre ce marivaudage. Malgré sa petite taille, elle semblait prête à tous les affrontements et Dany la suivit sans discuter. Je parcourus le tract qu'elle avait déposé à mon intention sur la table : il appelait à un sabotage général des examens. La méthode ? Copier systématiquement sur son voisin !

Jean-Luc se mit à fréquenter de plus en plus souvent des personnes proches des *Cahiers marxistes-léninistes*. Il m'avait demandé de l'accompagner mais, à l'inverse de lui, les débats politiques ne m'intéressaient guère. « Pourquoi ne pas revoir Truffaut ou Cournot ? proposai-je. — Bonne idée. » Le premier étant trop occupé, il donna rendez-vous au second, au café *Le Tournon*, en haut de la rue du même nom, devant le Sénat. C'était un après-midi du mois de décembre, le baromètre demeurait en dessous de zéro mais le ciel était bleu et sans nuages.

Sortant du métro Odéon, je reconnus Michel Cournot qui marchait trois mètres devant. Je le suivis boulevard Saint-Germain et rue de Tournon en respectant la distance entre nous. C'était amusant de l'observer de dos, de calquer mon rythme sur le sien, de m'arrêter quand il s'arrêtait. Il portait un manteau bleu marine, il était grand, mince, et je croyais savoir qu'il avait un peu plus de quarante ans. Pourtant, c'était une sorte d'éternel adolescent qui remontait la rue de Tournon. Il en avait l'allure et les hésitations, il semblait flâner sans but particulier, en s'attardant auprès d'un chien, d'un enfant.

Arrivé devant le café, il se retourna d'un bloc.

— Si tu crois que je ne savais pas que tu me suivais !

Et devant ma mine déconfite :

— Je t'ai repérée dès que tu es sortie du métro, tu ferais un piètre détective !

Il se moquait de moi, ouvertement mais gentiment, enchanté de la blague qu'il venait de faire. Je ne m'étonnai même pas du tutoiement tant j'étais séduite par le son bas et un peu rauque de sa voix, l'éclat malicieux de ses yeux. Il me prit le bras, comme si j'étais une amie de longue date.

— Viens, je parie que Jean-Luc est déjà là et qu'il lit *Le Monde*.

Il ne se trompait pas. Installé sur la banquette en moleskine rouge, une Boyards au coin de la bouche, Jean-Luc lisait bien *Le Monde*. Il sursauta à notre arrivée, m'embrassa sur la joue et serra la main de Cournot. Je m'assis à ses côtés, Cournot sur une chaise. Autour de nous, quelques personnes se réchauffaient, sans se parler. Seuls quatre étudiants aux cheveux longs, qui discutaient bruyamment, apportaient un semblant de vie. Jean-Luc nous les désigna.

— Ils s'indignent contre les Américains qui ont bombardé pour la première fois une zone uniquement habitée par des civils, à Hanoi. Je suis sûr qu'ils vont continuer les bombardements de civils... Heureusement qu'il y a encore des jeunes dans cette vieille France endormie pour se révolter !

Il se tourna vers moi.

— La jeunesse soutient le peuple vietnamien en lutte. Que dit-on à Nanterre de ce bombardement ?

Je sortis le tract de ma besace et le lui tendis. Il le parcourut rapidement, haussa les épaules et revint à ce qu'il appelait « l'alliance honteuse entre les Américains et les Soviétiques ». Cournot lisait à son tour le tract.

— Marrant ce truc de copier sur son voisin et d'accuser les examens d'engendrer des frustrations sexuelles ! J'espère que vous allez tous vous mettre à faire les cons à Nanterre.

— Il ne s'agit pas de faire les cons, Michel, protesta Jean-Luc, il s'agit de s'organiser et de lutter.

— Tu sais à quel point j'adore les Russes !

Jean-Luc était sérieux et Cournot s'efforçait de dissimuler son envie de rire. Pendant presque une heure, ils se disputèrent comme deux gamins dans une cour de récréation, sans jamais trouver un début de terrain d'entente, sans jamais même se répondre. Ils n'étaient d'accord ni sur la politique, ni sur le cinéma, ni sur rien. C'était un concours de pensées abstraites, d'images provocantes, d'onomatopées et de coq-à-l'âne. Pourtant, je sentais nettement la tendresse réelle qu'ils éprouvaient l'un pour l'autre et qui ne pouvait s'expliquer que par la phrase de Montaigne : « Parce que c'était lui, parce que c'était moi. »

— Ton John Ford, ton Bresson, c'est pas du cinéma ! disait Cournot. Le cinéma, c'est vivant, ce sont des sentiments. Le cinéma, aujourd'hui, à part toi, c'est Lelouch !

Jean-Luc prenait un air accablé.

— Cournot ne fait même pas la différence entre un film de John Ford et un film de Jean Delannoy.

— Exact, c'est du pareil au même.

Comme des gamins encore, ils s'étreignirent sur le trottoir.

— Je ne sais vraiment pas ce que je te trouve, dit Cournot.

— Et moi, donc, riposta Jean-Luc.

Je regardais, charmée, ces deux hommes qui se complétaient si bien alors que tout paraissait les séparer. Je commençais à connaître l'univers poétique de Jean-Luc et je me réjouissais d'entrer dans celui de Cournot.

— Venez tous les deux déjeuner à la maison un de ces dimanches, dit ce dernier avant de se diriger vers la rue de Médicis, sans un adieu et sans se retourner.

Jean-Luc glissa son bras sous le mien et sur un ton qu'il voulait léger :

— Cournot a l'air de beaucoup te plaire... On va au cinéma ?

Pendant que nous dînions à la brasserie *Le Balzar*, je parlais pour la première fois de mes futures vacances de Noël, à la montagne, dans un petit hôtel du Mont d'Arbois, au-dessus de Megève. Jean-Luc approuva : il avait lui aussi besoin de quelques jours de repos et il adorait la neige, skier. J'essayais de lui faire admettre que je partais avec ma mère, deux de ses amies, les miens et mon frère ; que l'hôtel serait plein et sa présence à mes côtés indésirable. Il ne s'en formalisa pas : il réserverait dans un autre hôtel, à une distance de cinq cents mètres, pas plus. « On ne doit plus se séparer », conclut-il, confiant.

À la maison, ma mère m'attendait, couchée, en lisant un policier. Nadja dormait sur le tapis et me fit une amorce de fête avant de se rendormir. Ma mère me la désigna du doigt.

— Comme tu n'étais pas rentrée à 10 heures, j'ai dû la promener.

Je m'en excusai, la remerciai et promis qu'un oubli de ce genre ne se reproduirait plus. Mais ce n'était pas de Nadja qu'elle souhaitait m'entretenir. De nouvelles lettres anonymes me concernant avaient été adressées à mon grand-père, dont certaines très insultantes pour lui. Il ne s'en était pas plaint directement, mais ma mère avait reçu la visite de son frère Jean.

— Il m'a raconté le contenu de ces lettres... Il est choqué que ta « liaison », qu'il condamne fermement, nous attire, à nous, ta famille, des ennuis de ce genre. Il pense que quand on a quelqu'un d'aussi connu que François Mauriac comme grand-père, on se doit d'être irré-

140

prochable. Il m'a aussi dit qu'il en avait assez que ses collègues de l'Agence France-Presse lui posent des questions sur ta « liaison », émoustillés à l'avance par un éventuel scandale.

Elle ne vit pas ou ne voulut pas voir que je me décomposais. Elle marqua une pause comme si elle gardait une dernière arme en réserve, puis, sur un ton triomphant :

— Partout on ne lui dit que du mal de ton... Tous les avis convergent : c'est un sale type.

J'en oubliai momentanément ce qui concernait mon grand-père tant j'étais indignée par ce que je venais d'entendre. Ce n'était pas la première fois que mon oncle cherchait à me nuire en colportant des ragots plus ou moins inventés par lui. Il agissait de même avec mes cousines, il ne pouvait pas s'en empêcher, il était comme ça et il serait toujours comme ça. Je souhaitai une bonne nuit à ma mère et montai dans ma chambre, la chienne sur mes talons.

Je restai longtemps éveillée. Qu'on insulte mon grand-père m'accablait au point de me faire à nouveau douter de la légitimité de mon amour pour Jean-Luc. Comment m'autoriser à être heureuse si on l'attaquait ? Je tournai et retournai des pensées noires jusque tard dans la nuit.

Le lendemain, à Nanterre, ces pensées noires m'accompagnèrent. J'écoutais à peine les professeurs et répondais n'importe quoi aux rares questions qu'on me posait. Durant la matinée, il me sembla qu'un homme inconnu me suivait. Je crus le revoir à la cafétéria, posté près de la porte d'entrée. Puis dans le train qui me ramenait à la gare Saint-Lazare. Cela m'effraya : ma culpabilité vis-à-vis de mon grand-père me poussait à inventer de nouvelles raisons d'avoir peur, je « faisais une parano », comme on disait à la fac. Il fallait que je le voie au plus vite, que je lui demande pardon.

Mon grand-père écouta avec indulgence mes bafouillis interminables et confus et quand il me vit à court d'idées :

— Des lettres anonymes dans lesquelles on me salit ou on m'insulte sont monnaie courante pour moi. Cela a culminé pendant l'Occupation, durant la guerre d'Algérie et au moment de son indépendance. Et j'en reçois toujours. Alors celles qui cherchent à m'atteindre en utilisant des ragots te concernant constituent une nouveauté, ma foi... surprenante.

Face à sa sérénité, je commençai à me calmer. Je le soupçonnai même de s'amuser, comme son regard bienveillant et un peu moqueur semblait le signifier. Je l'écoutai ensuite me raconter un tout autre courrier constitué de lettres amicales, admiratives, et la plupart du temps pleines de gratitude.

— Comparées à ces lettres-là, les lettres anonymes n'ont guère d'effet sur moi.

J'osai enfin lui poser la question qui me tourmentait :

— Que disent-elles de moi, ces lettres ?

— Tu n'as pas à le savoir.

Sa réponse avait claqué sèche et définitive, je savais par expérience qu'il était inutile d'insister.

— Quand je pense à toi, reprit-il, ce n'est pas à la personne mise en cause dans ces lettres. Pour moi, tu ressembles à la jeune fille peinte par Vermeer que j'ai découverte, le mois dernier, au musée de l'Orangerie. J'en ai parlé, sans citer ton nom, dans le « Bloc-notes » du 18 novembre.

Il se concentra quelques secondes et reprit :

— Je crois avoir mentionné « le portrait pour moi bouleversant de la jeune fille au turban bleu qui reproduit trait pour trait le visage d'une de mes petites-filles ».

Je retins un sourire amusé : mon grand-père était le troisième homme à évoquer cette ressemblance. J'hésitais à le lui dire quand ma grand-mère l'appela pour le dîner. Alors, je le remerciai, heureuse, délivrée de mes craintes. Mais il me retint pour demander sur le ton anodin de la conversation :

— Cet homme qui est dans ta vie, tu l'aimes pour de bon ?

— Oui.

— On dit beaucoup de choses très différentes à propos de son cinéma. Tu m'accompagnerais voir un de ses films ? On pourrait faire ça après les vacances de Noël ?

Et il s'engagea dans l'escalier intérieur me laissant à la fois stupéfaite, éperdue de reconnaissance et très émue. Ainsi, il connaissait l'existence de Jean-Luc... Ce n'est qu'une heure après que je réalisai qu'il l'avait évoqué sans prononcer son nom.

Les étudiants s'agitaient à Nanterre. Il y avait ici et là, au détour d'un couloir, dans une salle prévue à cet usage ou dehors, des discours et des prises de parole improvisées. Je m'efforçai d'écouter mais j'avais du mal à rester concentrée. Ces étudiants se prenaient trop au sérieux, manquaient de charme et de singularité. Je leur préférais mille fois des hommes comme Jean-Luc et Cournot. « Tu n'as toujours aimé que les vieux », plaisantait mon ami Antoine. Mais les jeunes, les vrais, c'étaient Jean-Luc et Cournot, pas ce chevelu exalté à la voix de fausset qui appelait à se mobiliser pour le Vietnam. Ma mauvaise humeur empirant, j'étais sur le point de me retirer, quand Dominique que je n'avais pas vue venir me murmura :

— Tu es suivie par les RG. Rendez-vous à la cafet' dans un quart d'heure.

Dominique, Dany et Jean-Pierre semblaient très excités. Je m'assis près d'eux et ils se mirent à parler tous les trois en même temps. Une fois de plus je ne comprenais pas ce qu'ils me disaient.

— C'est quoi « les RG » ?

Ils me contemplèrent visiblement consternés. Dany, le premier, se ressaisit.

— Les RG, camarade Machin Chose, ce sont

les Renseignements généraux. Tu sais ce que c'est, tout de même ?

— À peu près.

Je ne devais pas être très convaincante, car il préféra m'expliquer de quoi il retournait. Il me parla de la police, des filatures, des fiches sur les étudiants connus pour leurs activités politiques, des écoutes téléphoniques et des flics qui cherchaient à s'infiltrer à Nanterre.

— Quel rapport avec moi ? demandai-je enfin. Pourquoi me suivrait-on ?

— Parce que tu as fait notre connaissance. À travers toi, c'est nous qu'ils visent.

— Et pourquoi êtes-vous « visés » ?

Dany gémit en feignant de s'arracher les cheveux. Dominique eut à l'intention de ses camarades un geste apaisant.

— Anne arrive tout juste à la fac, dit-elle d'une voix douce. Elle vient d'un autre milieu et n'a aucune expérience. Il faut lui expliquer qui nous sommes, notre détermination à changer ce monde pourri en commençant par révolutionner les facultés. Il faut lui faire comprendre que nous représentons un danger pour le pouvoir en place, que nous sommes surveillés par la police...

Elle s'interrompit et d'un mouvement d'épaule nous désigna une silhouette d'homme près de la porte. Je le reconnus aussitôt : c'était l'inconnu de l'avant-veille, celui qui m'avait suivie toute la journée. Mais une pensée soudaine me traversa. Et s'il s'agissait plutôt d'un photographe chargé de nous surprendre Jean-Luc et

145

moi? Une certaine presse commençait à s'intéresser à « la liaison entre la petite-fille de François Mauriac et le cinéaste Jean-Luc Godard »,
on parlait de nous de plus en plus fréquemment
comme me le reprochait ma famille. Se sentant
observé l'homme quitta la cafétéria. Dehors la
nuit était tombée et il disparut aussitôt de notre
champ de vision. Mes camarades triomphaient :
leurs soupçons venaient de s'avérer justes.

Je les écoutais commenter l'incident, perplexe. Leur avouer qu'ils se trompaient en prenant un paparazzo pour un flic des Renseignements généraux, c'était leur parler de Jean-Luc
dont ils ignoraient l'existence, ce qui me convenait. Je craignais aussi de les vexer, de leur donner à penser qu'ils étaient moins dangereux
qu'ils ne se l'imaginaient. Car si j'admirais leur
maturité politique et la pureté de leur engagement, j'avais du mal à les imaginer capables de
mettre sens dessus dessous la faculté de Nanterre et d'ébranler le gouvernement Pompidou.
Ils se disaient des révolutionnaires, soit, mais à
la manière, me semblait-il, des Pieds Nickelés. Je
me trompais lourdement comme je l'apprendrais plus tard, en mars 1968.

En retrouvant Jean-Luc dans ce qui était devenu « notre » café, place du Trocadéro, je
n'étais plus perplexe mais à nouveau très an-
goissée. La présence du photographe à Nanterre signifiait qu'il continuerait à nous guetter
Jean-Luc et moi et qu'on parlerait de nous dans

146

une vilaine presse, celle-là même qui attaquait régulièrement François Mauriac. On allait se servir de moi, de nous, pour lui faire du mal, et cela m'était insupportable.

Jean-Luc s'irritait. Il trouvait que je me préoccupais trop de ma famille et que je ne pensais pas assez à lui. C'était comme s'il était jaloux de l'affection que je portais à mon grand-père, comme si je lui retirais quelque chose. Alors je me fâchais et nous nous disputions jusqu'au moment où l'un des deux faisait machine arrière.

Ce soir-là, ce fut lui, et pour se faire pardonner, il me tendit un livre enveloppé dans du papier journal.

— Cadeau, dit-il.

Et sur un ton redevenu malicieux :

— Cadeau très précieux.

J'ouvris le paquet et découvris, interloquée, un manuel de grammaire française à l'usage d'élèves chinois. Jean-Luc de sa grande écriture me l'avait dédicacé en entourant les lettres J et L, sa façon à lui de signer ses messages sur les livres des autres. Il avait écrit : *Pour la seule Chinoise que j'aime en souvenir du futur.* Il me fit remarquer à quel point ce manuel était usé.

— Regarde le bas de la page, dit-il. Il a été imprimé à la mission catholique de l'orphelinat de T'OU-SE-WE, en 1900. Tu imagines les milliers de jeunes Chinois qui se sont penchés sur cette vieille grammaire française ? C'est émouvant, non ?

Ému, Jean-Luc l'était très sincèrement.

Début décembre les travaux commencèrent rue de Miromesnil. Jean-Luc avait engagé deux de ses machinistes qui nettoyaient les murs avant de les peindre en blanc et qui le saluèrent quand nous entrâmes dans l'appartement. Il me présenta à eux sans préciser que j'allais jouer dans le film et quel rôle j'occupais désormais dans sa vie. Je les regardai avec curiosité. L'un était un grand blond au teint rose, Edmond, l'autre un petit brun d'origine asiatique, Charly. La famille du premier avait adopté le second, ils étaient donc frères et travaillaient toujours ensemble. Jean-Luc, sur le ton d'un maître d'école, nous expliqua à tous les trois comment il envisageait son futur appartement qui serait aussi le décor de son film. Des taches de couleur rouge, jaune, vert et bleu devaient se rajouter sur les murs blancs et cela dans chaque pièce hormis dans la chambre et dans la cuisine.

— Nous ferons plusieurs essais, dit-il à l'intention d'Edmond et Charly. Je ne sais pas encore exactement ce que je veux mais j'en vois la direction.

Et à moi, sur un tout autre ton :

— Pour la chambre, j'imagine de la moquette, des rideaux et un couvre-lit dans différentes gammes de bleu. Ça te plaît ? Parce que si ça ne te plaît pas, je dois envisager les choses autrement.

Je répondis un faible « oui », gênée qu'il évoque aussi ouvertement notre vie privée devant ses machinistes. Mais ceux-ci semblaient ne pas avoir entendu ou bien cela ne les intéressait pas.

En quittant l'appartement, Jean-Luc m'en remit une clef. « C'est chez toi », dit-il avec simplicité. J'avais désormais trois clefs dans ma besace : l'une appartenait à une Fiat 850 que je ne conduisais pas, l'autre ouvrait un appartement où je n'habitais pas et la troisième était celle d'un appartement où je souhaitais de moins en moins vivre. C'était un paradoxe de plus dans cette drôle de vie que je menais depuis que j'avais rencontré Jean-Luc.

Quand ma mère apprit que Jean-Luc me suivrait à la montagne, elle se mit très en colère. Je tentai de lui expliquer qu'il habiterait dans un autre hôtel que le nôtre, mais elle ne voulut rien entendre. Je m'énervai et Pierre, qui venait de nous rejoindre, protesta avec véhémence : il était ravi de passer ses vacances en compagnie de Jean-Luc et ne comprenait pas l'attitude autoritaire de notre mère. Celle-ci argumenta : ses amies étaient consternées par cette « liaison » et ne supporteraient pas de le rencontrer. Pierre riposta : nos amis, leurs fils, se réjouissaient de la présence de Jean-Luc, c'était une génération contre une autre. « La guerre des jeunes contre les croulants », dit-il en parodiant le vocabulaire du magazine *Salut les copains* que, par ailleurs, il ne lisait pas. Notre mère, ulcérée par cette alliance à laquelle elle ne s'attendait pas, se retira dans sa chambre.

Ce soir-là, Jean-Luc et moi dînions avec Francis et Christiane dans une brasserie proche de la place de la Muette. Ils m'écoutèrent leur faire part de ma colère et de ma révolte, sans m'interrompre. Quand j'eus fini de parler, Jean-Luc s'indigna à son tour : lui pas plus que moi n'avions à obéir aux ordres de ma mère, il viendrait tout de même à Megève. Mais Francis, comme souvent, tenta l'apaisement. Il comprenait notre désir de rester ensemble mais aussi l'attitude de ma mère.

— Quand elle te dit que « tu ne lui as rien épargné », plaida-t-il, elle n'a pas complètement tort. Tu lui imposes un chien, puis un homme dont elle ne veut pas pour des raisons qui sont les siennes, une voiture garée sous les fenêtres des Mauriac, la pilule, etc. Maintenant, tu veux imposer ton amant dans vos vacances familiales...

Christiane qui n'avait encore rien dit prit à son tour la parole. Mère de trois enfants, des jumeaux issus d'un premier mariage et un petit garçon de cinq ans qu'elle avait eu avec Francis, elle représentait une certaine légitimité aux yeux de Jean-Luc.

— Si tu veux que ta mère te respecte, respecte-la, toi aussi, conclut-elle. Anne ?

Je sursautai. Parfois quand je les entendais parler de moi en ma présence, une sorte de distance se créait et j'avais alors le sentiment qu'il s'agissait de quelqu'un d'autre. Ou bien, involontairement, je m'évadais dans une rêverie sans rapport avec la discussion en cours.

Un peu plus tard, alors que nous promenions la chienne avenue Théophile-Gautier, Jean-Luc revint à ce qui nous tenait tant à cœur, partir à la montagne. Nous marchions serrés l'un contre l'autre, luttant contre les bourrasques de vent, le froid. Quelques rares passants, engoncés dans de gros manteaux en fourrure, promenaient aussi leur chien. Des lumières derrière les volets fermés indiquaient que des familles vivaient là, bien au chaud. Adolescente, après la mort de mon père et l'obligation de demeurer désormais chez mes grands-parents, j'avais détesté ce quartier. Maintenant, j'avais juste envie de le fuir tant il me semblait morne.

— Je vais louer un chalet un peu avant la date officielle du début des vacances de Noël. Un chalet rien que pour nous, où nous serons seuls, enfin. Tu imagines ? Il ne s'agira plus d'instants volés ici et là mais de quelques jours, de quelques nuits. Nous avons vraiment besoin de passer du temps ensemble. Dès janvier je commence la préparation de *La Chinoise* et je serai très occupé. Toi, tu retourneras à la fac. Quand ta famille arrivera à Megève, je rentrerai à Paris et tu continueras tes vacances avec eux. Qu'en penses-tu?

J'étais épatée par la rapidité de son esprit, son bagout et sa souplesse de chat. Par moments, il me semblait invincible. Mais un doute subsistait.

— Maman va m'interdire de partir avec toi.

— Erreur, personne ne nous verra, personne ne le saura. Les apparences seront sauves.

Et comme j'hésitais encore à le croire :

— C'est ça, la bourgeoisie française sous Pompidou!

Jean-Luc avait vu juste. Ma mère manifesta une vive contrariété, mais cela n'alla pas plus loin. Elle était même soulagée, car elle s'attendait à une plus grande résistance de notre part. Dans l'espoir de me rapprocher d'elle, je lui confiai mon désir de faire un bout de chemin avec Jean-Luc. J'espérais qu'elle me demanderait ce que j'entendais par « bout de chemin ». J'espérais pouvoir lui dire mon envie de vivre à la fois près d'elle et près de Jean-Luc, de me partager entre la rue François-Gérard et la rue de Miromesnil. J'espérais encore lui confier mes craintes concernant le mariage. Mais ma mère ne posa aucune question. C'était sa façon de me signifier qu'elle ne voulait rien savoir de moi, de nous.

Le chalet loué par Jean-Luc se trouvait sur les hauteurs de Rochebrune, juste en face du Mont d'Arbois où s'installerait bientôt ma famille et mes amis. Ce hasard l'amusa : « Pour signaler ma présence, je hisserai le drapeau suisse ! »

J'avais éprouvé une certaine appréhension à l'idée de passer quelques jours seule avec lui. Nous n'avions jamais dormi deux nuits de suite ensemble, jamais partagé la même maison, la même salle de bains. J'ignorais tout de la cohabitation avec un homme, c'était donc une expérience nouvelle, une de plus. Je me rassurai en me disant que je ne risquais plus de tomber enceinte et découvris le plaisir de faire l'amour, librement, sans peur. J'avais le sentiment de me donner enfin entièrement.

Mais ce qui m'étonna le plus, ce fut la facilité avec laquelle je m'adaptai à lui et lui à moi. Nous faisions du ski, nous nous promenions avec Nadja que la neige enivrait, nous mangions quand nous avions faim dans des restaurants de Megève où nous allions aussi au cinéma. Et puis nous nous aimions, beaucoup, intensément, surpris et charmés de nous retrouver au réveil. Jean-Luc se levait le premier et m'apportait un bol de Nescafé que je buvais au lit tandis qu'il faisait des projets pour la journée. « Tu vois comme c'est facile de vivre ensemble », disait-il régulièrement. Sans manquer d'ajouter : « On se marie quand ? »

Nous nous amusions aussi énormément, surtout à ski.

Jean-Luc était un excellent skieur. Habitué depuis sa petite enfance à pratiquer ce sport, il dévalait les pentes à une vitesse folle, esquivait tous les obstacles et improvisait, en clown qu'il était, d'extravagantes acrobaties.

J'avais, moi, commencé le ski trois ans auparavant et je le suivais tant bien que mal, courageusement, en serrant les dents. Mais mes chutes étaient fréquentes et je restais souvent un moment à terre, étourdie et furieuse. Jean-Luc faisait demi-tour, m'aidait à me relever en me tendant son bâton. Il riait aux éclats devant ma mine déconfite et mes accès de colère. « On dirait Donald Duck ! » Cette comparaison me faisait rire à mon tour et nous repartions. Jusqu'à ma prochaine chute, suivie d'une nouvelle colère et d'un nouveau départ.

Mais c'était déjà notre dernière soirée au chalet.

Jean-Luc prenait un bain en lisant un livre de poche qu'il avait trouvé sur une table du salon. Je me séchais les cheveux et fredonnais une chanson du dernier disque de Jeanne Moreau que nous avions écouté en boucle, durant notre séjour.

— Écoute, me dit-il, c'est pour toi.

Je m'installai sur le bord de la baignoire et il lut.

> *« Je l'ai vue, un jour,*
> *En pleine rue, sauter*
> *Quarante fois à cloche-pied, à bout de souffle,*
> *Trouver le moyen de parler encore*
> *Et, haletante, faire d'un défaut perfection.*
> *Hors d'haleine, elle exhalait sa puissance ! »*

Et devant mon air surpris :

— C'est le portrait que fait de Cléopâtre Énobarbus à Agrippa dans *Antoine et Cléopâtre* de William Shakespeare. Si je devais te décrire à ski, c'est ce passage que j'utiliserais. Donald Duck, c'était pour te faire enrager...

Notre dernière nuit fut particulièrement tendre et grave. Jean-Luc me redit à plusieurs reprises son désir profond de lier nos deux vies. Il s'était employé durant le séjour à me prouver que c'était possible, que c'était ce que nous avions de plus juste, de plus heureux à faire. Se marier signifiait avant tout ne plus se séparer et ce fut simplement, sincèrement, que je lui dis oui. Il m'expliqua alors à quel point c'était facile en Suisse : on rédigeait une demande officielle et au bout d'un délai fixé par la loi, on pouvait se marier quand on le voulait, même six mois après, à condition d'avoir prévenu la mairie la veille.

Le silence propre à la montagne et les monceaux de neige amassés autour du chalet nous donnaient l'impression d'être coupés du reste du monde. J'éprouvais par moments un étrange sentiment d'irréalité.

— Où allons-nous nous marier ? chuchotai-je.

— À Begnins, canton de Vaud.

Et devant mon air surpris :

— Désolé, mais je dépends de la mairie de Begnins, canton de Vaud, en Suisse. Tu aurais préféré que ce soit à Gland, mon lieu d'origine, comme on dit sur les livrets de famille ?

Jean-Luc quitta ce ton pince-sans-rire et me répéta à nouveau qu'il m'aimait et que j'étais sa femme depuis le début, comme il me l'avait griffonné sur un bout de papier à Montfrin. Le retour à Paris le préoccupait. Il savait qu'il allait être très absorbé par la préparation de son film et qu'il n'aurait plus beaucoup de temps à me consacrer.

— On se verra moins, ce sera difficile et pour moi, et pour toi. Mais tu ne dois jamais douter de mon amour. Tu me promets ?

Famille et amis remplissaient entièrement le petit hôtel du Mont d'Arbois, situé au pied du téléphérique. Notre arrivée fut saluée par des cris de joie de la part de mon frère, Blandine, Hélène, Thierry, Jacques, Hervé et Jean-Michel.

Nos mères nous adressèrent un sourire contraint et se réfugièrent dans leur chambre. Les huit autres amis, qui n'avaient jamais encore rencontré Jean-Luc, le regardaient de biais. Nadja, affolée par tout ce monde, tirait la laisse dans tous les sens.

Le déjeuner était servi dans la salle à manger et Pierre invita Jean-Luc à se joindre à nous. Nos mères ne dirent rien, mais occupèrent la table la plus éloignée qui leur permettait de nous tourner le dos. Une ambiance fiévreuse gagnait mon groupe d'amis : Jean-Luc intriguait, Jean-Luc séduisait. Blandine et Hélène le taquinaient, coquettes comme des femmes et en même temps enfantines. Pierre se risquait à afficher leurs goûts communs et Jean-Luc lui répondait du tac au tac, comme s'ils se connaissaient depuis toujours. Avec les autres, il était plus réservé, mais plein de bonne volonté, à peine surpris par leurs gamineries et leurs blagues de potaches.

Nous remplissions presque toutes les tables de la salle à manger. Quelques skieurs et des moniteurs buvaient des boissons chaudes, accoudés au comptoir. Ce va-et-vient permanent faisait un vacarme assourdissant et je commençai à regretter la solitude silencieuse du chalet. Mais je reconnus une silhouette qui tentait de se faufiler jusqu'au comptoir, celle de mon ami Antoine dont les parents avaient un appartement sur les hauteurs du Mont d'Arbois. Je l'appelai, lui fis une place à notre table et le présentai à Jean-Luc.

— Antoine Gallimard? De la famille Gallimard? De la NRF?

Jean-Luc était stupéfait comme si tous les
livres de la prestigieuse collection Blanche s'incarnaient brusquement dans ce grand jeune
homme blond qui souriait timidement, avec
l'air de s'excuser. Il était si impressionné qu'il
fut incapable d'ajouter quelque chose et Antoine repartit skier seul comme il en avait l'habitude.

Mais une heure après, le hasard les remit en
présence sur les pistes. Antoine était un skieur
hors pair et Jean-Luc quitta aussitôt mon frère
et notre groupe d'amis pour le suivre. L'un derrière l'autre, ils firent les pistes les plus difficiles, les noires, comme on les appelait. Moi,
j'étais restée à l'hôtel pour m'installer dans la
minuscule chambre que j'allais désormais partager avec Blandine et Hélène.

Le soir, à l'heure du dîner, Jean-Luc nous rejoignit pour partager notre repas. Sa présence
avait cessé de surprendre mes amis. Qu'il lise
Le Monde entre deux plats ne gênait personne à
part nos mères. Elles continuaient à l'ignorer
ouvertement et cela nous choquait mon frère
et moi. Je devenais de plus en plus triste à l'idée
d'être séparée de lui, Pierre le devinait et
m'adressait des petits sourires : lui aussi regrettait le départ de Jean-Luc.

Jean-Luc semblait un peu perdu et se taisait
comme s'il cherchait à se faire oublier. À chaque
fois qu'il le pouvait, il attrapait ma main sous la

table et la serrait très fort. Le seul moment où il s'anima, ce fut lorsqu'il parla d'Antoine : « Il skie comme j'aimerais savoir le faire : chevilles serrées et skis parallèles. » Puis, soudain ému : « Je le regardais filer devant moi... Le tracé de ses skis, sur la neige, était si harmonieux qu'il me rappelait le graphisme du sigle NRF. »

Nous séparer, devant l'hôtel, dans le froid et l'obscurité de la nuit, nous désola. Des deux, j'étais la plus bouleversée. Je me disais prête à braver l'interdit pour rester encore quelques heures avec lui. Mais il fut pour une fois raisonnable. « Il ne faut pas dresser ta mère contre nous. Je vais rejoindre Genève et prendre le premier avion pour Paris. Toi, tu t'amuses avec tes amis et tu me reviens reposée, prête à reprendre Nanterre avec une mission très précise : me trouver un étudiant marxiste-léniniste. » J'étais au bord des larmes, lui aussi, mais il trouva la force de s'arracher à moi et de monter très vite dans sa voiture. Je regardai quelques secondes la lueur des phares éclairer la route en contrebas.

Journal
« Jeudi 22 décembre 1966
Jean-Luc est reparti et les autres ont débarqué. Parce qu'il me manque, je ne supporte plus leur bruit, leur pagaille, cette organisation idiote qui fait que nous sommes plus de 20 et que je dois coucher avec Hélène et Blandine. Il faut absolument que je fasse bonne figure afin

de ne pas me rendre, dès le début, odieuse. Ou alors, skier jusqu'à l'épuisement.

Quelques hurlements... Jean-Michel et Hervé qui se disputent pour une histoire de priorité de passage dans l'escalier. Un autre cri : voilà Jacques qui râle à cause de la disposition des chambres. Maintenant, ils parlent tous les trois d'équation chimique et je me demande si je tiendrai dans cette baraque où on ignore le silence.

Nathalie part aux USA. Elle me manque déjà. Hélène et Blandine comptent beaucoup mais elles ne la remplaceront pas. Elles n'ont pas eu, comme Nathalie, Jean-Luc dans leur vie.

Jean-Luc : de plus en plus sérieusement nous pensons nous marier afin de ne pas trop nous gâcher la vie. Mais je me demande s'il est aussi sérieux que moi : c'est tellement extraordinaire qu'un homme veuille m'épouser simplement pour m'avoir plus souvent auprès de lui... »

Jean-Luc m'attendait à la gare et m'accueillit avec soulagement : je lui avais manqué autant qu'il m'avait manqué. Mais il m'avoua n'avoir pas pu s'empêcher, certains soirs, de craindre que je ne lui préfère un autre homme. À ma question « Quel homme ? », il avait répondu : « Un inconnu, n'importe qui, qu'un mauvais génie aurait placé sur ton chemin. » Puis il ajouta en me serrant dans ses bras : « C'est passé, je n'y penserai plus. »

Je repris sans enthousiasme le chemin de Nanterre avec le vague projet de trouver l'étudiant marxiste-léniniste que me réclamait Jean-Luc. Je n'avais qu'un seul indice : cet étudiant devrait interpréter un personnage de son film nommé provisoirement « camarade X ». C'était mince.

À la maison, les hostilités reprirent de plus belle. Ma mère supportait mal l'éventualité de mon futur mariage, même lointain. Les ragots méchants que lui rapportait son frère Jean attisaient ses craintes. Malheureusement, elle l'écoutait beaucoup plus que son autre frère, Claude, qui évoquait avec enthousiasme « le génie de Godard » et qui rêvait de le rencontrer. Tous deux se succédaient auprès de mes grands-parents qui ne savaient plus que penser. Pierre tentait de plaisanter, mais il partageait ma détresse et ma colère. Qu'on dise n'importe quoi sur Jean-Luc le révoltait autant que moi.

J'étais devenue le sujet favori de tous les bavardages familiaux et je ne le supportais pas. Aussi, je décidai, sur un coup de tête, d'aller voir mon grand-père. C'était à lui et à lui seul que je devais faire part de ce que j'appelais un peu pompeusement « ma vérité ». Dans mon journal, à la date du 6 janvier 1967, je notai à la hâte : « Trouver le courage d'aller rendre visite à Bon Papa. Lui annoncer que je ferai bientôt un film avec J.-L. Lui parler de J.-L. comme je le ressens. Lui dire que tout ce que dit Jean relève de la calomnie. Lui expliquer mes sentiments pour J.-L. et la possibilité d'un mariage. Ne pas être terrifiée. »

Il m'accueillit avec naturel comme s'il s'attendait à ce que je vienne le trouver. Contrairement à ce que je craignais, il me fut facile de lui parler. Son écoute attentive m'aida à m'exprimer avec sincérité et émotion. Je lui annonçai d'abord le tournage du film et il me posa quelques questions concernant l'intrigue. Je lui répondis le peu de choses que je savais, à savoir qu'il s'agissait d'une poignée de jeunes gens convertis à la pensée de Mao Tsé-toung. Ce bref résumé l'amusa et quand, croyant l'éclairer, je lui précisai qu'il s'agissait de « Robinsons du marxisme-léninisme », il éclata de rire. Puis je lui parlai de mes sentiments pour Jean-Luc et de l'amour que nous éprouvions l'un pour l'autre. Il cessa de rire et devint plus grave. « Toi, dit-il, tu m'étonneras toujours ! » Je sentais beaucoup d'affection dans ce jugement, comme s'il m'approuvait en secret. Il était plus que bienveillant, il était solidaire.

Ce fut lui qui aborda la question du mariage. Visiblement bien informé, il savait que Jean-Luc était protestant, divorcé, et qu'il ne pourrait pas y avoir de cérémonie religieuse. Il tint à m'exprimer à quel point cela le contrariait, le peinait même. Je l'écoutais sans rien dire, triste pour lui et un peu inquiète, aussi : n'allait-il pas s'y opposer ? Mais il n'en fit rien.

— C'est ta vie, c'est ton choix, conclut-il.

Et, en m'effleurant la joue :

— Un choix que je respecte.

Je voulus le remercier, il m'en empêcha et dans un deuxième éclat de rire, très joyeux et très farceur :

— Devenir le grand-père de Jean-Luc Godard, quelle consécration !

Le soir, je racontai cette scène à Jean-Luc. Il fut à la fois satisfait et effrayé. « Tu crois que je dois lui demander ta main ? — Oui, il remplace mon père, c'est mon tuteur. » Et devant sa mine déconcertée, j'ajoutai : « Rien ne presse ! » D'un commun accord nous décidâmes de nous marier après le film et peut-être même après mes examens du mois de juin. « Je vais écrire dès demain à la mairie de Begnins de façon que nous puissions nous marier quand nous le voudrons », dit Jean-Luc. Cette idée d'agir à l'improviste me convenait parfaitement et quand il me demanda si je souhaitais une bague de fiançailles, je répondis à nouveau : « Rien ne presse ! » Plus tard, en me déposant devant mon immeuble, il dit, feignant l'enthousiasme : « Tout de même, devenir le petit-fils de François Mauriac, quelle consécration ! »

Les semaines qui suivirent furent difficiles et déroutantes. Jean-Luc m'avait prévenue qu'il serait souvent indisponible, je l'avais compris et accepté. Mais ces changements me prirent tout de même au dépourvu. Il se manifestait moins et surtout, je ne le voyais plus qu'un jour sur trois. J'avais du mal à ne pas lui faire des reproches. Je me disais : « Eh bien voilà, il est sûr que je l'aime. J'ai accepté de l'épouser, mon grand-père le veut bien, il a obtenu tout ce qu'il voulait, alors, pourquoi m'aimerait-il encore ? » Si Jean-Luc avait fait de moi une femme, loin de lui je redevenais une adolescente et je contemplais avec inquiétude mon reflet dans le miroir.

J'avais pris un peu de poids et cela me préoccupait. Je me trouvais moche, ingrate, sans rapport avec le poétique animal-fleur du dernier trimestre. Comment tourner dans un film avec un pareil physique ? Comment continuer à être aimée? J'étais vraiment retombée dans les tourments de l'adolescence.

Heureusement, une nuit avec Jean-Luc, quand ma mère s'absentait, me ramenait à la réalité : nous nous aimions autant l'un que l'autre. Il me rassurait aussi sur mon physique et sur mon absence de métier : comme Robert Bresson, il saurait me diriger, je n'aurais qu'à être disponible et attentive.

Mais la semaine recommençait, j'attendais un appel téléphonique qui tardait à venir, une lettre, un pneumatique, n'importe quel cadeau. Me découvrir si dépendante de quelqu'un m'horrifia : je ne voulais plus l'aimer, plus me marier, je voulais retrouver ma liberté. Francis Jeanson à qui je me confiais parvenait souvent à m'apaiser. Il me reprochait, par contre, de délaisser Nanterre et la philosophie. Mes notes étaient correctes, sans plus. « Si tu ne travailles pas davantage, tu ne réussiras pas tes examens en juin », prophétisait-il. Lui et Christiane avaient décidé de quitter Paris et de rejoindre, à Beaune, le théâtre de Bourgogne. Il souhaitait, au sein de cette troupe, tenter une expérience nouvelle qu'il appelait « action culturelle ».

La nouvelle de leur départ nous attrista énormément, Jean-Luc et moi. « Vous viendrez nous voir à Beaune, dit Francis. — On passera tous nos week-ends avec vous, répondit Jean-Luc. Je suis très curieux de voir en quoi consiste ton action culturelle. Tu continueras aussi à pratiquer la philo avec Anne, elle en a besoin. » De l'entendre évoquer notre avenir me rassurait et je me souvenais alors de la prière qu'il m'avait adressée dans le chalet de Rochebrune : « Ne doute jamais de moi. »

À la fin du mois de janvier, je retrouvai Antoine pour aller voir au cinéma *La guerre est finie* d'Alain Resnais qui avait obtenu le prix Louis-Delluc. Après, dans un café du boulevard Saint-Germain, nous évoquâmes avec admiration les autres films de ce cinéaste, puis j'en revins à ce problème : comment trouver un étudiant marxiste-léniniste ?

— Facile, répondit Antoine. J'en ai un à te proposer.

Et devant mon air étonné :

— Mon meilleur ami, Omar Diop. Nous nous sommes connus à quatorze ans, au lycée Montaigne. Nous étions voisins et il m'a tout de suite plu avec son beau regard. Il est sénégalais mais sa famille vit depuis longtemps à Montrouge.

Je n'en revenais pas.

— Et c'est un vrai marxiste-léniniste ?

— Tout ce qu'il y a de plus vrai, il fait partie de l'UJCML.

— L'UJC... quoi ?

— L'Union de la Jeunesse communiste marxiste-léniniste ! Il ne t'apprend rien Godard ?

Un rendez-vous nous réunit quelques jours après à *La Coupole*. Jean-Luc et moi sur la banquette faisions face à Antoine et à son ami

Omar. Dans le brouhaha habituel de la brasserie qui l'obligeait à parler fort, Jean-Luc se lança dans un discours un peu confus où se mêlaient l'héroïque résistance du peuple vietnamien, le combat des Gardes rouges et les noms des quelques jeunes gens rencontrés au sein de l'UJCML. Ces derniers, pour de mystérieuses raisons, ne lui convenaient pas. Parfois, Jean-Luc s'interrompait pour poser une question sans rapport avec ce qu'il venait de dire auparavant. Omar répondait du mieux qu'il le pouvait en tâchant de conserver son calme. Mais je le sentais déconcerté et soupçonnais Jean-Luc d'être en train de le tester. Antoine et moi demeurions silencieux. Parfois, il nous arrivait d'échanger un regard. Le sien disait : « Il est bien, non, mon ami ? » Je l'approuvais d'un bref hochement de la tête et une lueur de fierté brillait alors dans ses yeux.

Omar était un grand et mince jeune homme, très beau et très élégant. Il portait ce jour-là un pull-over rouge vif et une chemise blanche qui faisait ressortir la couleur de sa peau, la profondeur du regard. Il s'exprimait clairement et quand Jean-Luc lui laissa la parole, il la prit avec un mélange de plaisir et d'autorité. On sentait son désir de plaire, de séduire. Une séduction tout entière tournée vers Jean-Luc, comme si Antoine et moi n'existions pas. Pas une seule fois il ne rechercha notre assentiment.

Quand nous nous séparâmes, Jean-Luc, en lui serrant la main, promit de rapidement lui téléphoner. Un effroi vite contrôlé passa dans les yeux d'Omar. « Il a vraiment envie de faire le film », chuchota Antoine à mon oreille.

Plus le tournage approchait, plus j'avais peur. Je doutais de mon physique comme de mes possibilités d'actrice. Comment donner la réplique au génial Jean-Pierre Léaud et à la jolie comédienne, Juliet Berto? Ils avaient un savoir-faire dont j'étais dépourvue, jamais je ne serais à leur hauteur.

Jean-Luc ne m'aidait pas, tout à ses préoccupations. Je le voyais peu et il se montrait distrait. On n'évoquait plus un avenir commun mais des problèmes liés à son film. Il me lisait des passages du Petit Livre rouge dont il m'avait offert un exemplaire. Il me reprochait de ne pas partager son enthousiasme pour les écrits de Mao Tsé-toung et moi de se désintéresser de Sartre et de Merleau-Ponty.

La curiosité de ma famille à notre égard me rendait de plus en plus nerveuse. Ma grand-mère, vexée que je me sois adressée à son mari et non à elle, m'agaçait par de continuelles questions. Quand allais-je me marier? À quel type de réception je songeais? Un matin, excédée, je sortis en claquant la porte.

C'est durant cette période difficile que se manifesta mon amant de l'année passée. Nous nous étions croisés à trois reprises au laboratoire LTC et dans les bureaux d'une maison de production. Il avait semblé stupéfait de me voir avec Jean-Luc, mais ne m'avait rien dit, pas même : « Bonjour, comment ça va ? » Et puis il m'appela.

Au téléphone, il exprima son regret de ne plus me voir et son besoin de renouer une « tendre amitié ». Nous prîmes rendez-vous dans un café du quartier Latin.

Nous étions émus de nous retrouver et très vite il me parla de ses sentiments. Il se prétendait encore amoureux de moi et jaloux de Jean-Luc. Je ne le croyais pas mais j'étais touchée et flattée : son indifférence m'avait fait souffrir, son nouveau discours était comme une petite vengeance. J'en profitai pour lui annoncer en souriant mon futur mariage. Il tenta de m'en dissuader, je mis un terme à cette rencontre.

Mais il me rappela et m'écrivit des lettres. De m'avoir revue l'avait, disait-il, plongé en plein désarroi. Il se prétendait très amoureux et très malheureux. Il me demandait pardon de m'avoir négligée un an auparavant, me suppliait de lui donner « une nouvelle chance ». Nous nous revîmes. J'avais beau continuer à ne pas le croire, j'étais tout de même troublée : son chagrin semblait réel et je ne souhaitais pas lui faire du mal.

Lors d'un de mes rares dîners avec Jean-Luc, je lui racontai tout. Mes confidences provoquèrent chez lui une souffrance si violente que je n'eus de cesse de le rassurer : je n'aimais plus cet homme, il appartenait définitivement au passé. Mais Jean-Luc ne m'écoutait pas. Il répétait que j'allais le quitter pour quelqu'un de beaucoup plus jeune que lui et beau, d'après ce qu'il croyait savoir. Malgré mes protestations, il se mit soudain à pleurer bruyamment. Autour de nous, les clients du restaurant commençaient à nous observer avec curiosité. Je finis par me lever et le pris dans mes bras en lui jurant que je n'aimais que lui. Jean-Luc se laissa bercer comme un enfant et cessa, peu à peu, de pleurer. Je restai, ce soir-là, longtemps avec lui.

Le lendemain, il appela plusieurs fois. Je dus lui promettre encore et encore que je l'aimais, que je ne reverrais pas l'autre homme. Ma mère demeurait proche du téléphone, comme à l'affût. Elle flairait un drame et s'apprêtait à me demander de quoi il s'agissait quand mon grand-père, qui venait rarement nous rendre visite, fit son apparition.

Nadja dormait sur le palier, à mi-escalier. Mon grand-père ne l'avait jamais rencontrée et peut-être même l'avait-il oubliée. Mais quand il la découvrit en poussant la porte qui séparait les deux appartements, il demeura stupéfait. La chienne s'était redressée et, les oreilles collées d'effroi, le contemplait comme hypnotisée. Il y eut un étrange moment de flottement puis mon grand-père éclata de rire. La désignant du doigt à ma mère et à moi, il s'exclama : « Qu'elle est vilaine ! » Et plus il la regardait, plus il riait, plus il continuait à s'exclamer : « Qu'elle est vilaine ! » La chienne s'était aplatie à ses pieds, tremblante et soumise. Un instinct l'avait mystérieusement avertie que son sort dépendait de ce nouveau venu. Maman avait saisi son Kodak automatique et prenait des photos de son père et de la chienne. Lui, n'en finissait pas de rire : « Et elle s'appelle Nadja ? Le pauvre vieux Breton qui est enterré depuis peu doit se retourner dans sa tombe ! » Puis il se pencha en avant et lui caressa la tête. « Mais n'aie pas peur, va, on te garde ! » Il venait de l'accepter et dès cet instant Nadja eut ses entrées chez lui.

Le soir, je retrouvai Jean-Luc dans un restaurant de la rue d'Auteuil. Son humeur demeurait sombre et il se remit à me questionner sur la personnalité de mon ancien amour. Pour couper court à cet interrogatoire, je lui racontai la scène entre mon grand-père et Nadja.

Celle-ci dormait sous la table et Jean-Luc souleva la nappe pour la contempler. Son examen terminé, il revint à moi et m'adressa un sourire, le premier depuis vingt-quatre heures.

— Tu diras à ton grand-père que Nadja est belle « comme la rencontre fortuite d'un parapluie et d'une machine à coudre sur une table de dissection ». C'est la définition que Lautréamont donne de la beauté dans *Les Chants de Maldoror*. André Breton l'a reprise à son compte pour définir le surréalisme. Je suis certain que cela lui enlèvera l'envie de dire qu'elle est vilaine. Et toc !

Très content de sa trouvaille, il attaqua avec appétit le plat qui se trouvait devant lui et cessa de me parler de mon ancien amant. Il évoqua

Omar Diop qu'il venait d'engager pour interpréter le camarade X.

— Tu remercieras Antoine Gallimard : me dénicher un jeune étudiant marxiste-léniniste noir ! Un Sénégalais ! Je n'aurais jamais osé y songer...

Il cita encore les noms de deux garçons : Michel Semeniako et Lex De Bruijn.

— Eux, plus toi, Juliet et Jean-Pierre, je tiens mes petits Robinsons. Vous formerez une cellule et il faut lui trouver un nom. Que penses-tu de « cellule Aden Arabie », en hommage à Nizan ?

Nous étions un lundi et le film commençait le lundi suivant, le 6 mars. Une fièvre nouvelle gagnait maintenant Jean-Luc. Il se disait lassé par une préparation trop lente à son goût et pressé d'entamer le tournage. Il était impatient de vérifier si ce qu'il avait imaginé sur le papier s'incarnerait avec nous cinq. Je faisais des efforts pour ne pas l'interrompre et lui dire à quel point j'avais peur.

— Nous devrions peut-être faire connaissance avant ? J'aimerais bien rencontrer les quatre du groupe, murmurai-je.

Jean-Luc haussa les épaules.

— Pour faire quoi ? Vous dire quoi ? Non, vous vous rencontrerez à la fin de la semaine avec Gitt, la costumière, quand vous essayerez vos habits chinois.

— Nos habits chinois ?

— Oui, bleus pour les filles et gris pour les garçons.

Jean-Luc parla encore de l'appartement de la rue de Miromesnil que ses deux machinistes achevaient de peindre ; des meubles, de la vaisselle et du linge qui arriveraient mercredi et de la centaine de Petits Livres rouges qui attendaient rangés dans des cartons.

— Je m'installe au milieu de la semaine, dès que les odeurs de peinture se seront atténuées. Cela va me faire bizarre de revivre dans un appartement, d'avoir un chez-moi...

Son regard devint vague et je me demandai avec angoisse s'il ne songeait pas tout à coup à sa vie d'avant avec Anna Karina, s'il ne la regrettait pas. C'était rare qu'il tourne sans elle... Mais Jean-Luc parut deviner mes pensées et me contempla avec une infinie tendresse.

— Samedi, ta mère va partir à la campagne et tu dois venir passer la première nuit avec moi, rue de Miromesnil. C'est notre appartement avant d'être celui du film.

Il répéta la mine réjouie :

— Le tien, le mien, le nôtre, enfin.

Journal
« Vendredi 3 mars 1967
Le tournage commence lundi mais je considère aujourd'hui comme une introduction.
Charles Bitsch est venu me chercher et nous sommes allés prendre Gitt, la costumière, qui travaille sur le film de Jean Aurel, *Lamiel*. Les sé-

quences se tournaient dans un ravissant hôtel particulier de la rue Barbet-de-Jouy et cela m'a fait regretter que *La Chinoise* ne se tourne pas en costume d'époque. J'y ai vu Jean-Claude Brialy et Anna Karina, trop blonde et trop fardée.

Puis nous sommes partis pour les essayages de vêtements soi-disant chinois, près de l'Opéra, où nous attendaient Léaud et Juliet. Et là, ce fut une heure assez géniale : sans échanger une seule parole, nous avons attendu en nous lançant de brefs regards. À la dérobée, j'observais Juliet qui est encore plus jolie que je ne l'imaginais et qui me donna une pénible impression de moi, gauche, empêtrée de mes bras et de mes jambes. Et là encore, je n'arrivais pas à m'expliquer comment il se pouvait que ce soit moi que Jean-Luc aime et non pas elle. Quant à Léaud, il est tel que dans *Masculin Féminin*, horriblement mal à l'aise. J'ai adoré le moment où on lui prenait ses mesures et où lui, complètement indifférent, continuait à feuilleter son *Cinémonde*. Je crois que si nous arrivons à surmonter notre timidité, nous pourrons nous entendre. Même chose, avec Juliet. Bref, nous nous sommes vus (longtemps), regardés (à plusieurs reprises), mais jamais parlé. Reste Gitt, merveilleuse, mais qui, hélas, sera rarement là, trop occupée avec *Lamiel*. »

Au début, j'éprouvai le sentiment de pénétrer par effraction dans l'appartement d'un inconnu. Mais Jean-Luc me fit visiter et admirer chaque pièce. Il était heureux, fier de lui, et son entrain me gagnait. Ensemble, nous nous enchantions de toutes les transformations apportées. L'appartement avait été refait à neuf et sentait bon le propre. Les murs d'un blanc immaculé mettaient en valeur les portes et les volets peints en rouge, bleu ou vert. C'était artistiquement très beau et d'une surprenante gaieté. La chambre était blanche, avec, comme il l'avait souhaité, des rideaux, une moquette, une porte et un grand lit dans différentes gammes de bleu. Il y avait encore une table ronde sur laquelle était posée une jolie lampe et des fauteuils recouverts de velours rouge : les meubles anciens laissés par les propriétaires. Nous étions dans le bleu, blanc, rouge, souhaités pour le décor du film et une phrase de Mao s'alignait en lettres noires sur le mur du fond : « Il faut confronter les idées vagues avec les idées claires. » Malgré cela, l'atmosphère de la chambre était intime et chaleureuse. Comment imaginer que d'ici quelques heures une équipe de cinéma allait l'envahir ? Je me rappelai alors que Jean-Luc avait exigé que tous ses techniciens portent des pantoufles.

— On essaye le lit ? proposa Jean-Luc.

Lundi 6 mars, quand l'assistant stagiaire vint me chercher, j'avais le teint blafard et les traits tirés. À toute vitesse, je mis un peu de fond de teint et du rose sur les joues. Puis, je le suivis, comme une condamnée qui se rendrait au supplice.

Il me sembla qu'une foule de personnes s'agitait dans l'appartement devenu méconnaissable. Chaque pièce était envahie de matériel technique, on avait rajouté des tableaux noirs aux murs, la bibliothèque du bureau, encore vide la veille, était remplie de livres. Un électrophone et un gros transistor dont j'apprendrais qu'il pouvait capter « Radio Pékin » avaient fait leur apparition.

Quelqu'un me guida vers la chambre la plus reculée de l'appartement où se trouvaient déjà Jean-Pierre Léaud, Juliet Berto, un garçon blond à lunettes qui se présenta en ne disant que son nom : « Michel Semeniako » et un grand brun avachi à même le sol et que je supposai être Lex De Bruijn. Juliet et Jean-Pierre esquissèrent un vague « bonjour » et je fis de même. Personne ne nous aida à faire connaissance, personne ne vint nous expliquer ce que nous faisions là ou ce que nous allions faire. Nous attendions on ne savait quoi dans cette pièce qui semblait être aussi le vestiaire de l'équipe à en croire l'amoncellement de manteaux, anoraks et imperméables sur le lit où je m'étais assise.

Une demi-heure passa. Lex dormait, Jean-Pierre s'était plongé dans la lecture de Karl Marx, Juliet et Michel échangeaient de temps à autre quelques mots. En les écoutant, je crus comprendre qu'ils étaient originaires de Grenoble. Sinon, c'était le silence. Un silence chargé d'une crainte diffuse que je percevais chez tous y compris chez Jean-Pierre, malgré son air absorbé.

Enfin, la grande jeune femme blonde entrevue sur le plateau de *Deux ou trois choses que je sais d'elle* vint nous chercher. Plus tard nous apprendrions qu'elle s'appelait Isabelle, qu'elle était deuxième assistante, mais là, elle ne nous dit rien d'autre que : « Jean-Luc vous demande. » Son prénom dans la bouche de cette inconnue résonna d'une bizarre façon, comme si elle évoquait un autre homme que celui que j'aimais.

Cette impression s'affirma encore quand je le découvris entouré de son équipe à qui, visiblement, il faisait la leçon.

— Quand je dis que je veux que vous portiez

177

tous des pantoufles, c'est valable aussi pour toi, Coutard, et pour tous ceux qui font semblant d'ignorer cette recommandation. Charles?

L'homme qui nous avait accompagnés lors des essayages et dont j'avais appris qu'il s'appelait Charles Bitsch et qu'il occupait le poste de premier assistant accourut.

— J'exige que l'obligation de porter des pantoufles soit mentionnée chaque jour sur la feuille de service et que vous remettiez tous de l'ordre chaque soir en partant : j'habite ici au cas où vous l'ignoreriez encore.

Son ton désagréable et sa voix trop haut perchée m'étaient étrangers. Il donnait des ordres de façon nerveuse, presque agressive. Cela n'avait rien à voir avec la courtoisie exagérée de Robert Bresson et j'étais de plus en plus déconcertée. Juliet, Jean-Pierre, Michel, Lex et moi attendions sagement sur le seuil du vestibule où se trouvait la caméra et l'équipe technique de Raoul Coutard.

— Ah, les petits Robinsons!

Il s'avança vers nous le sourire aux lèvres. Un sourire qui se figea vite.

— Mais qu'est-ce que vous vous êtes mis sur le visage, Anne et Juliet? Qu'est-ce que c'est que ce maquillage? Allez vous débarbouiller illico dans la salle de bains!

Nous nous apprêtions à obéir mais il nous retint d'un geste.

— Pardon. Juliet, tu peux te maquiller un

178

tout petit peu, ça va avec ton personnage. Mais toi, Anne, en aucune façon.

En prononçant mon prénom, sa voix s'était un peu adoucie.

— Tu as une très jolie peau, la maquiller, même avec un nuage de poudre, serait vraiment dommage. N'est-ce pas, Raoul ?

Coutard haussa les épaules en marmonnant quelque chose qui devait signifier : « Pour ce que j'en ai à cirer... » Borborygmes que Jean-Luc ne releva pas, car Gitt venait d'apparaître sur le palier de l'appartement suivie de l'assistant stagiaire qui portait un gros paquet. Elle était essoufflée et se lança dans un discours volubile où il était question du film de Jean Aurel. Elle s'exprimait avec un fort accent italien qui donnait du charme au moindre de ses propos et qui désarma en partie Jean-Luc.

— Vous êtes très en retard, Gitt, je vous attends depuis l'heure du déjeuner pour voir les habits chinois. Je ne veux plus vous entendre parler du tournage de *Lamiel* et des problèmes de mise en scène d'Aurel ! Vous avez choisi de faire les deux films, assumez ce choix ! Maintenant, je veux voir ces habits sur eux. Les filles peuvent se changer dans ma chambre et les garçons dans la pièce du fond.

Il me prit par le bras.

— Montre la chambre à Juliet.

Et à voix basse, tendrement :

— Surtout débarbouille-toi bien.

179

Gitt la première parut consternée quand elle nous passa en revue. Juliet et moi en bleu, les garçons en gris, nous nagions tous dans des vestes et des pantalons trop grands pour nous. La question de Jean-Pierre : « S'il vous plaît, madame, ça correspond à quoi, ces tenues ? » n'obtint aucune réponse.

Un silence effrayant se fit au sein de l'équipe lorsque nous nous alignâmes en rang d'oignons devant Jean-Luc. Il nous regardait, regardait Gitt qui se tenait prudemment en retrait, comme si les mots, tout à coup, lui manquaient. Puis sa colère éclata.

Il tint à Gitt des propos très durs. Il lui avait expliqué ce qu'il souhaitait : des vestes et des pantalons comme en portaient les ouvriers chinois et elle lui fournissait « des costumes de ville », « des habits de gala ».

— Aurel ou pas, vous allez vous empresser de m'arranger ça, Gitt. Cette première journée, telle que je la concevais, est fichue et vous m'obligez à faire avec ce que j'ai sous la main. Anne, Jean-Pierre, Michel et Lex, allez vous changer, on va tourner avec les vêtements dans lesquels vous êtes arrivés.

Il fulminait :

— M'apporter des habits de gala !

— Moi, je trouve qu'ils ont plutôt l'air d'une équipe de jardiniers, murmura une voix dans le fond de la pièce.

— Quel est le crétin qui vient de dire ça ?

Tous les cinq, nous nous empressâmes de sortir.

Le soir, je rentrai à la maison catastrophée. J'avais refait plusieurs prises d'une même séquence où je jouais mal et parlais faux. Jean-Luc était demeuré patient et ne se décourageait pas quand il n'obtenait pas satisfaction. Son comportement avec moi ne différait pas de celui qu'il avait avec les autres acteurs, il semblait nous accorder a priori un crédit illimité. Cela ne suffisait pas pour me rassurer. J'avais conscience d'avoir été mauvaise d'un bout à l'autre de la journée, handicapée par un trac énorme dont je ne pouvais alors imaginer qu'il se dissiperait. Une pensée vénéneuse commença à s'insinuer : l'équipe de Jean-Luc ne tarderait pas à comprendre nos liens et ne manquerait pas de me comparer à la merveilleuse Anna Karina. Je craignais les jours à venir où j'étais de presque toutes les séquences : selon le souhait de Jean-Luc, je devais terminer vite pour reprendre mes études à Nanterre. Le soir, comme je l'avais fait lors du tournage d'*Au hasard Balthazar*, j'écrivais fiévreusement quelques notes dans mon journal.

Mardi 7 mars
J'avais une scène sûrement simple mais qui se compliquait du fait de sa durée. Avec Bresson, chaque séquence se divisait rapidement en une multitude de petits plans qui rendaient le travail

plus abstrait mais moins angoissant. Là, quand je prononçais une phrase, je pensais déjà à toutes celles qui allaient suivre, à l'ordre du mouvement. Résultat, ce que je fais n'est plus vrai, à la rigueur, vraisemblable. Seul Léaud me rassure. J'ai confiance en lui et m'en remets à sa façon de jouer. C'est lui qui donne le rythme et je le suis. Pourtant, lui et moi avons le même défaut : nous décomposons trop ce qui enlève toute la spontanéité. Juliet, elle, me semble parfaite. Elle a un instinct qui lui fait trouver tout de suite le ton juste, l'accord entre le texte et les gestes. Quant aux deux autres garçons aussi inexpérimentés que moi, ils essayent de jouer de leur côté, ce qui colle jusqu'au moment où j'interviens et où nous nous embrouillons réciproquement.

Jusqu'à maintenant, il n'existe aucun rapport satisfaisant entre nous. Juliet, peut-être, mais elle m'intimide. Léaud, sans doute, s'il ne s'obstinait pas à m'appeler « mademoiselle ».

Les autres ? La photographe de plateau Marilou, sûrement. Isabelle ? peut-être dans un futur lointain. Coutard ? Il me donne envie de me moquer de lui, je ne le fais pas, et cela m'énerve.

Je n'ai aucune envie d'assister aux rushes, je dois être trop moche.

Mercredi 8 mars

Je suis assise devant le bureau, faisant face à la caméra. Jean-Luc me fait répéter les réponses que je devrai lui donner quand il m'interrogera.

Et puis brusquement, il explose : mon uniforme chinois pourtant remanié m'engloutit encore et je ressemble plus à une pompiste qu'à une passionnée de Mao. Il se lève et constate qu'il en est toujours de même pour Juliet et les garçons. Après une terrible colère qui fait taire les rires et les bavardages, Gitt me tire la veste et la fait tenir à l'aide d'une série d'épingles. On me retrousse les manches et moteur. L'interview durait de 6 à 7 minutes. Je devais parler de Nanterre, de la politique, lire le tract de mes camarades anarchistes appelant au boycott des examens responsables, entre autres, de frustrations sexuelles, et terminer en disant : « Je m'appelle Véronique Supervielle, j'ai 19 ans », etc. Eh bien à chaque coup, je disais fatalement : « Je m'appelle Juliette Jeanson. » Atroce et il faut tout reprendre demain.

Jeudi 9 mars
Même séquence mais avec des écouteurs dans les oreilles. Ça va mieux. Puis on passe à 3 plans dans la cuisine avec Juliet qui m'éblouit par la justesse de son jeu. Enfin on termine sur Léaud, Michel et moi en train de peindre des inscriptions sur le mur. La séquence dure 6,7 minutes et c'est moi qui la termine en disant : « Mon programme ? Crime et politique. » Hélas, à la dernière prise, je me trompe et lâche sûre de moi : « Mon programme ? Crime et liberté. » Mais finalement, c'est pas trop grave.
Le tournage a été interrompu plus d'une

heure, car nous attendions Lex. Finalement, Marilou le découvrit chez lui, assommé par une trop forte dose de LSD. Cela me gâcha la journée, car tout devait continuer comme si on se foutait de lui.

Les rushes me désespèrent. Parlant de Nizan comme du gaullisme, je ne cesse de ressembler à un gros lapin.

Léaud, sublime à l'écran et émouvant dans la vie.

Vendredi 10 mars.

Troisième édition de l'interview pour Jean-Pierre et pour moi. Tout va mieux.

L'équipe se précise peu à peu. Quelques visages m'apparaissent et me plaisent, dont celui de Coutard avec qui je n'ai d'ailleurs aucun rapport.

Rushes meilleurs. Juliet y était merveilleuse. Mais elle, recroquevillée dans son fauteuil, pleurait de se voir si bête. Comme c'est étrange ! Mais Jean-Luc est content : elle est l'émotion et moi la théorie.

D'avoir surpris Juliet en proie à une si grande détresse m'aida à comprendre à quel point c'était difficile de se voir sur l'écran et cela me fit du bien. Plus détendue, je pris du plaisir à interpréter Véronique, à saisir au vol les indications de Jean-Luc et à les exécuter avec davantage de souplesse. Je devins « non pas habile mais agile », comme aurait dit Robert Bresson.

Mes rapports avec l'équipe du film s'en trouvèrent améliorés, j'appris à dépasser ma timidité et osai m'adresser à eux.

Plus attentive à ce qui se passait autour de moi, je réalisai qu'on déposait à la fin de chaque journée, sur le bureau, une lettre adressée à Jean-Luc. Je l'avais vu une fois ouvrir l'enveloppe, lire la lettre et jeter ensuite le tout à la corbeille. Il m'avait semblé exaspéré. Puis il se débarrassa des enveloppes sans prendre la peine de les décacheter. J'avais surpris ces scènes parce que, la journée de travail terminée, je restais auprès de lui. L'heure venue, nous allions ensemble assister à la projection des rushes, 36 rue de Ponthieu.

La première semaine de tournage achevée, je mentis à ma mère et passai le week-end avec lui, à l'appartement. Nous étions heureux de redevenir amants, de passer du temps au lit et de courir au cinéma voir le nouveau film de Bergman, *Persona*. Jean-Luc se disait confiant quant à la suite du film. Ses cinq « petits Robinsons » lui donnaient toute satisfaction et c'est alors qu'il me parla des lettres.

Elles venaient de Juliet. Lui et elle s'étaient rencontrés un an auparavant à Grenoble. Une correspondance irrégulière et un peu plus qu'affectueuse s'ensuivit qui avait complètement cessé dès le début de l'été. Mais il l'avait engagée pour un petit rôle dans *Deux ou trois choses*, puis dans *La Chinoise*. Juliet se disait éprise de lui et s'imaginait, parce qu'il l'avait

185

choisie, que c'était réciproque. Chaque jour, elle lui écrivait une lettre qui restait sans réponse. « C'est incroyable qu'elle n'ait pas compris que nous sommes ensemble et que nous nous aimons », dit-il.

J'étais accablée. J'appréciais beaucoup Juliet, j'avais peur que quelqu'un ne la mette brutalement au courant. Je pressentais, comme s'il s'agissait de moi-même, le chagrin et le sentiment d'humiliation qu'elle éprouverait alors. « Tu dois lui parler, dis-je, lui expliquer. Tu ne peux pas continuer à te taire et la laisser s'illusionner. C'est moche, elle va souffrir... » J'étais au bord des larmes et Jean-Luc fut vite convaincu. « Je lui parlerai lundi après le tournage. »

J'attendais avec le reste de l'équipe près de la salle de projection quand Jean-Luc et Juliet arrivèrent. Lui affichait un air serein, elle le suivait tête baissée. Le temps de la projection, elle demeura prostrée dans son fauteuil et fut la première à quitter la salle et à disparaître.

Le lendemain, on commença par une séquence qui concernait Jean-Pierre, Lex et moi.

Lex déambulait dans l'appartement en déclamant des passages du Petit Livre rouge tandis que Jean-Pierre et moi discutions à voix basse de part et d'autre du bureau. En même temps, je prenais des notes et écoutais de la musique. « Nous devons lutter sur deux fronts ! » conclut Lex en quittant la pièce. « Lutter sur deux fronts ? Je ne comprends pas », dit Jean-Pierre qui ajouta : « Par exemple, Véronique, je ne comprends pas comment tu peux écrire et écouter aussi de la musique. » J'interrompis le disque de jazz et mis à la place une sonate de Schubert. « Tu m'aimes, Guillaume ? Parce que moi, j'ai bien réfléchi, je ne t'aime plus. Tu vas comprendre... », commençai-je calmement. Et en bonne théoricienne, je lui démontrai, en feignant de le quitter et sur les notes déchirantes de Schubert, qu'« on pouvait faire deux choses en même temps ».

Jean-Luc nous avait donné les dialogues une heure auparavant et cela m'avait fortement troublée. J'y avais retrouvé les mots que je lui avais assénés lorsqu'il était venu, contre mon gré, me rejoindre en Normandie, chez Blandine. Tout y était et en particulier cette phrase absurde : « Et puis je n'aime pas la couleur de ton chandail ! »

Je m'étais sentie trahie. L'équipe, qui connaissait la façon dont Jean-Luc mélangeait la fiction à sa vie privée, comprendrait tout de suite que cette rupture avait été la nôtre et que ces mots étaient les miens. Peut-être même penserait-elle que cela avait eu lieu la veille ? Je me sentis jugée, condamnée sans pouvoir me défendre et j'en voulus à Jean-Luc. Le soir, quand je lui en fis le reproche, il éclata de rire : « Mais qu'est-ce que tu imagines ? Quand bien même ils penseraient que c'est de nous qu'il s'agit, ils s'en fichent ! » Je venais de prendre une importante leçon sur les rapports étroits entre la vie intime et la création. J'avais aussi compris qu'une équipe de film avait autre chose à faire qu'à s'intéresser à ma petite personne. Quel soulagement de penser qu'on ne me comparait pas en permanence à Anna Karina!

Durant l'après-midi, j'avais cherché à aborder Juliet, mais elle m'avait soigneusement évitée. De la même façon que la veille, elle s'éclipsa tout de suite après la fin des rushes. Mais je la surveillai et lui emboîtai aussitôt le pas. Je la rattrapai dans la cour de l'immeuble, elle se retourna et me fit face, l'air désolé.

— Pardon pour Jean-Luc et toi, dit-elle, je ne savais pas...

— Mais non, il n'y a rien à pardonner...

En bafouillant nous nous fîmes des excuses qui n'avaient pas lieu d'être, pour conclure, un peu apaisées, que nous tournions le même film et que nous étions de façon différente, l'une comme l'autre, liées à Jean-Luc. Quand Juliet comprit à quel point je tenais à son amitié et à quel point je l'admirais, son visage s'éclaira.

— Quelle embrouille! dit-elle en riant.

— Quelle embrouille!

L'équipe nous retrouva pleurant de rire, telles deux gamines après une bonne farce. Coutard émit quelques commentaires désobligeants, ce qui redoubla notre hilarité. Je ne pouvais détourner mon regard du visage inondé de larmes de Juliet, elle fixait le mien qui était dans le même état. Nos deux casquettes accentuaient encore notre ressemblance.

— Nous sommes les deux faces d'une même médaille, dis-je.

— Hou, la théoricienne ! C'est une citation du président Mao ?

— Bien sûr que non, Juliet, Anne dit n'importe quoi ! protesta Jean-Luc.

Et il m'entraîna vers le restaurant le plus proche où nous attendait Jacques Rivette avec qui nous avions pris l'habitude de dîner après la projection des rushes. J'ignorais alors tout de ce cinéaste, mais quelques mois après, je serais bouleversée par son film *L'Amour fou*. Pour l'instant, j'étais sensible à sa délicate présence.

Ce soir-là, Juliet et moi avions scellé une amitié qui dura bien au-delà de *La Chinoise*.

Le lundi 13 mars se tourna une des scènes les plus inattendues du film qu'un carton intitulera : « Rencontre avec Francis Jeanson. »

Très tôt, Jean-Luc avait imaginé que Véronique, l'étudiante de Nanterre, rencontrait, par hasard dans un train, un grand intellectuel, peut-être un de ses professeurs, à qui elle confierait ses projets de meurtres et d'attentats. Celui-ci était chargé d'essayer, en vain, de la dissuader. Nous fréquentions un peu, à ce moment-là, Philippe Sollers. Son intelligence enthousiasmait Jean-Luc qui adorait discuter avec lui. Il le jugeait si brillant qu'il le pensait capable de combattre n'importe quel discours, si absurde fût-il, et il lui proposa de jouer le rôle. Sollers accepta. Plus tard, dans la voiture, Jean-Luc jubilait : il avait trouvé son personnage. Puis il se tut et, à son air absorbé, je compris qu'il réfléchissait. En me déposant devant mon immeuble, il eut cette phrase qui sonna comme un regret : « Je suis ravi d'avoir engagé Sollers. Mais je viens seulement de réaliser que si je le trouve si intelligent, c'est parce qu'il pense toujours la même chose que moi. Au fond, il n'est pas si intelligent... »

Jean-Luc se trompait, Sollers ne « pensait pas toujours la même chose que lui ». À quelques jours du tournage, il se désista, soudain méfiant. « Je ne veux pas avoir l'air d'un vieux con qui donne des leçons », dit-il. Alors, Jean-Luc fit appel à Francis qui accepta tout de suite, aussi amusé qu'intrigué.

Ce lundi 13 mars 1967, la SNCF avait mis à la disposition du film un wagon de train de banlieue qui ferait le trajet Paris-Dourdan aller et retour. J'étais enchantée de retrouver Francis : nous avions l'habitude et le goût de parler ensemble, avec lui tout serait plus facile.

Jean-Luc nous avait donné les principaux thèmes de la discussion : l'université en 1967, la France sous Pompidou, la guerre d'Algérie, le FLN, le terrorisme, etc. Nous étions assis l'un en face de l'autre, contre la fenêtre derrière laquelle défilait le paysage. La caméra nous filmait de profil et j'avais un écouteur dans l'oreille. Jean-Luc et toute l'équipe étaient massés dans le compartiment suivant. Sans nous voir ni vraiment nous entendre, Jean-Luc me dictait des bouts de dialogue que je devais me débrouiller pour intégrer à la discussion en cours. C'était comme un exercice de haute voltige. J'avais en fait deux interlocuteurs, je devais les écouter, obéir aux ordres de l'un, quitte à interrompre à tout bout de champ et brutalement l'autre. Francis, un instant surpris par cette avalanche de pensées abstraites et de coq-à-l'âne, se rétablissait, enchaînait et me répondait avec un naturel stupéfiant. Quand notre dialogue tournait à la cacophonie, je me raccrochais à un des slogans imposés par Jean-Luc : « Je ne suis rien d'autre qu'une ouvrière de la production révolutionnaire. — Oui, Véronique, je comprends, mais... », répondait patiemment Francis. Il se révéla tel qu'il était dans la vie, intelligent, ludique et généreux.

En fin de journée, en descendant du train, Jean-Luc l'étreignit. « Toi seul étais capable de relever un tel défi ! » dit-il avec émotion. Et à l'intention de son équipe qui déchargeait le matériel : « Francis Jeanson dialoguerait même avec un mur ! »

Omar Diop vint à son tour interpréter le camarade X. Jean-Luc lui avait préparé un schéma de discours et quelques questions qu'il lui avait remis une heure auparavant.

Je l'introduisais en disant aux autres réunis dans le grand salon vide où se tenaient nos conférences : « Je vous présente Omar, un camarade du cercle de philosophie de Nanterre. » Derrière, sur le tableau noir, était inscrit le thème de son exposé : « La perspective de la gauche européenne. » Puis je rejoignais Jean-Pierre, Michel, Lex et Juliet et nous l'écoutions respectueusement. Omar s'exprimait sur la politique actuelle de la gauche en France et nous incitait à trouver les réponses, non pas au parti socialiste ou au PCF, mais dans le Petit Livre rouge.

Comme d'habitude, nous faisions beaucoup de prises sans que jamais Jean-Luc ne nous en tienne rigueur. Quand il s'emportait, c'était à cause de problèmes techniques, jamais à cause de nous. Ce qui fit dire à Marilou, la photographe de plateau : « Je n'ai jamais connu un tournage de Jean-Luc aussi détendu. Finalement il n'est odieux qu'avec les vrais acteurs et son équipe quand ça l'arrange... »

Omar repartit soulagé et un peu ahuri. « C'est bizarre, le cinéma, dit-il en s'attardant sur le palier de l'appartement. Et j'ai déjà fini ? »

Six ans plus tard, le 20 mai 1973, Omar Diop, devenu un opposant au régime de son pays, sera retrouvé « suicidé » dans une cellule de la prison de l'île de Gorée, en face de Dakar.

Après une première semaine de tâtonnements et quelques jours de mise en train, le film avait trouvé son rythme. Les rushes étaient excellents, nous y assistions tous avec plaisir. Jean-

Luc retrouvait dans la photographie de Raoul Coutard la dominante bleue, blanc, rouge qu'il avait souhaitée et qui donnait aux images une élégante cohérence. Il appréciait aussi l'entente qui régnait chez ses cinq interprètes, notre absence de rivalité. À l'image comme dans le travail, nous étions sérieux, disponibles et, de l'avis de nos aînés, gentiment juvéniles.

Personne ne semblait remarquer mes liens avec Jean-Luc. Je m'étais adaptée à cette drôle de vie où je tournais avec lui le jour et me transformait en amante, parfois, la nuit. Le décor du film redevenait alors notre appartement. Une seule fois, je ne me réveillai pas à temps et dus quitter le lit à toute vitesse, le refaire, et courir m'habiller : dans la première scène Juliet et Michel y dormaient. J'avais cessé de m'étonner que Jean-Luc mélange fiction et vie privée et n'hésitais plus à lui proposer quelque chose de personnel, une pensée ou une réplique. Il l'acceptait et l'intégrait, ou bien s'y refusait catégoriquement. Parfois, à l'inverse, c'était moi qui rechignais devant un texte où Véronique mettait en cause Jean-Paul Sartre ou, comme il était écrit sur le bout de papier donné une heure auparavant, « les homosexuels de la Comédie-Française ». Dans un cas comme dans l'autre, nous partions alors dans de longues discussions qui interrompaient le tournage. L'équipe attendait patiemment la reprise. « Cela pouvait durer longtemps, très longtemps, vos chuchotis passionnés dans un coin de la pièce... », me diront, plus tard, des techniciens. Je ne m'en rendais absolument pas compte tant pour moi aussi travail et vie privée, maintenant, se mélangeaient.

Les jours passaient trop vite. Quand je ne jouais pas, je regardais les autres. Juliet et Jean-Pierre me donnaient envie de devenir une véritable actrice. La photo aussi me tentait. Dans les moments de pause, Marilou m'expliquait le fonctionnement de ses appareils et j'avais décidé de m'en acheter un avec mon salaire : « Nous irons chez Pentax, tu profiteras de ma réduction de professionnelle », me promit-elle gentiment.

Coutard tout particulièrement me fascinait. Je l'observais souvent, émue par ses faux airs de brute qui contrastaient avec la délicatesse de ses gestes et de ses mains. Quand il s'en apercevait, il me rembarrait comme il rembarrait tout le monde. « Qu'est-ce que tu as ? me dit-il un jour grossièrement. Tu as mal au ventre ? » J'étais devenue écarlate à la grande joie de Jean-Luc que ce manège amusait beaucoup. « Tu n'as aucune chance avec Raoul. Avec Cournot ou Truffaut, peut-être... » Il me taquinait à propos de ce qu'il appelait « ma capacité d'adoration », plus attendri que jaloux.

Il en aurait été autrement s'il avait su que mon ancien amant m'envoyait des mots où il me suppliait de lui faire signe. Je le faisais quand je le pouvais et lui promettais de le revoir bientôt. Qu'il prétende m'aimer demeurait incompréhensible mais j'y étais tout de même sensible.

Je n'avais surtout guère le temps d'y penser tant j'étais immergée dans ma nouvelle vie et mon amour pour Jean-Luc, dont j'étais sûre, maintenant. Je voulais vivre et travailler à ses côtés, c'était là ma place, chaque jour de tournage me le confirmait. Je l'admirais et j'étais fière le soir, lors de la projection des rushes, de faire partie de son univers, de son cinéma.

Mais cet état de bonheur cessa brutalement à la veille de ma dernière semaine, quand je crus être enceinte. J'étais terrorisée et plus que jamais décidée à ne pas avoir d'enfant.

Dimanche 19 mars
Hier, je me suis enfin décidée à parler à Jean-Luc. Il a tout compris, il sait ce qu'il faut faire et j'ai confiance.

Lundi 20 mars
J'ai pleuré longtemps quand Jean-Luc est venu m'annoncer qu'aucun médecin ne voulait m'aider, qu'il nous faudrait aller en Suisse. Parce qu'il m'avait dit qu'il était là et que je n'avais rien à craindre, j'ai cru bêtement que tout serait simple.

Jean-Luc, mon amour. Il va faire demain 400 km pour tâcher de convaincre, en province, un médecin accoucheur qu'il connaît de me faire avorter. Il sera de retour vers midi.

Le lendemain matin, d'affreuses douleurs m'apprirent qu'une fois encore, je m'étais trompée. Le téléphone sonna et je décrochai. C'était mon ancien amant qui souhaitait me parler. Avec une inqualifiable insouciance, je lui donnai rendez-vous au restaurant basque de la rue du Cirque où toute l'équipe de *La Chinoise* avait l'habitude de déjeuner.

À l'heure dite, il m'attendait, seul à une table. Je m'assis en face de lui après avoir salué les uns et les autres. Ils étaient tous présents à l'exception de Jean-Luc qu'on attendait.

— Tu sais où il est? me demanda Gitt en s'installant à ma table.

— Non.

Elle m'apportait un message oral de Jean Aurel. Ce dernier souhaitait que j'apparaisse quelques secondes dans *Lamiel.* J'y incarnerais, selon lui, « la plus belle femme de Paris », « la rivale d'Anna Karina ». J'étais stupéfaite et je le fus encore plus quand Gitt m'apprit qu'Aurel avait voulu, en novembre, me faire faire des essais pour le rôle principal qu'interprétait maintenant Anna Karina. Il s'était adressé à Jean-Luc qui lui avait répondu que je ne désirais pas tourner dans d'autres films que les siens.

— Jean a donc renoncé à toi. Mais quand vous êtes venus me chercher, il t'a vue et en a conçu quelques regrets. C'est pourquoi il aimerait que tu sois présente, malgré tout, dans son film, conclut Gitt.

Je n'eus pas le temps de me demander pourquoi Jean-Luc ne m'avait rien dit, car il venait d'entrer dans le restaurant. Oubliant tout, je quittai la table et me jetai à son cou. « Fausse alerte, murmurai-je. Je ne suis pas enceinte... » Il me serra longuement dans ses bras. Son visage marqué par la fatigue et l'absence de sommeil exprimait un immense soulagement. Pour bruta-lement se durcir. « Qu'est-ce que c'est que ce type ? » Il me désigna du menton mon invité et me repoussa. « Comment oses-tu le faire venir ici ? » Puis à l'intention de son équipe, sur un ton odieux, plein de mépris et de méchanceté :

— Quand vous aurez tous fini de vous goin-frer, tâchez de vous rappeler que nous tournons un film !

Et il quitta le restaurant.

Le soir, après les rushes, il exigea de dîner en tête à tête avec moi. La journée avait été tendue, sans la légèreté et la grâce de la semaine passée. Je me sentais terriblement coupable d'avoir donné ce rendez-vous. Seule l'euphorie de ne pas être enceinte pouvait expliquer une telle bévue. Peut-être, aussi, le sentiment inconscient qu'en ne me cachant pas, je prouvais ma bonne foi. Mais Jean-Luc ne l'entendait pas ainsi : j'étais en train de retomber amoureuse de mon ancien amant, j'allais le quitter. Il était épuisé, au bord des larmes, il doutait de lui, de moi, et même du pourquoi de son film. Je mis des heures à le rassurer et enfin, alors que le restau-rant fermait ses portes, il parut retrouver en par-tie ses esprits.

— Tu reverras ce type et tu lui diras de dispa-

197

raître définitivement de ta vie, dit-il avec autorité.

J'acquiesçai pour avoir la paix.

En me déposant au bas de mon immeuble, il
changea de sujet.

— Gitt m'a dit qu'Aurel te souhaitait pour
un plan de *Lamiel*. Tu vas refuser, j'espère?

— Non!

Jean-Luc eut un silence chargé de rancune.
Mais l'expression de son visage changea soudain
et un éclair de ruse passa dans ses yeux.

— Soit. Mais en échange, je vais filmer Léaud
dans son décor. Jean-Pierre sera un acteur en
costume d'époque qui tourne justement dans
Lamiel et qui quitte brutalement le plateau en
criant : « J'en ai marre de ce métier de con! »

Et en m'embrassant sur la joue, avec encore
de l'agressivité dans la voix :

— C'est donnant-donnant. Non?

Je le quittai si fatiguée que j'en oubliai de lui
demander pourquoi il ne m'avait jamais dit que
Jean Aurel avait souhaité me rencontrer, quatre
mois auparavant.

25 mars
Essayages, ce matin, à Joinville, du costume
pour *Lamiel*. Jean-Pierre et moi, nous nous
sommes amusés comme des gosses au milieu de
ce cimetière de vêtements. Moi, en robe roman-
tique et lui, en révolutionnaire, nous étions ravis
de nos reflets dans les miroirs. Il est vrai que
Jean-Pierre en Saint-Just était magnifique!

Blandine et Hélène sont venues tourner la dernière scène du film. Parfaites, toutes les deux. Mais quand elles ont jeté à terre les Petits Livres rouges, Jean-Pierre et moi avons eu l'impression qu'elles commettaient un sacrilège.

Le lendemain soir, quand nous vîmes les rushes, j'étais assise derrière Jean-Luc et je l'entendis distinctement murmurer « ouille ! » quand Hélène vide les étagères et jette à terre des dizaines de Petits Livres rouges. Il y avait plusieurs prises et les rires de l'équipe peu à peu cessèrent : eux aussi étaient impressionnés. « Quelles chipies, ces deux bourges ! » dit à haute voix Isabelle. Cela me faisait un peu de peine pour mes amies à qui revenait le rôle ingrat d'interpréter les filles des propriétaires venues récupérer l'appartement « vandalisé » par Véronique et ses camarades.

Un peu plus tard, alors que nous dînions avec Jacques Rivette, Jean-Luc revint sur ce que nous venions de voir : « Le pire c'est le dernier plan, quand elles quittent l'appartement. Blandine avait ramassé un des Petits Livres rouges et le feuilletait. On se disait, ouf, un exemplaire est sauvé, la pensée de Mao va peut-être transformer cette jeune fille. Et puis non, elle le balance avec un air dégoûté. » Jacques Rivette l'écoutait avec attention. « Ce dernier plan de Blandine me fait mal, dit encore Jean-Luc. Tu comprends ça, toi ? — Oui, je crois », répondit Rivette. J'étais attendrie par son air mélancolique et sa totale disponibilité dès qu'il s'agissait de cinéma. Il voyait plusieurs films par jour et en parlait ensuite avec une délicatesse qui amusait Jean-Luc. « Rivette sauverait même un navet! » avait-il coutume de dire et ce soir-là, comme souvent, il m'en fit la démonstration. « Le *Guerre et Paix* du Russe révisionniste Bondartchouk, quelle merde! — Non, Jean-Luc, tu ne peux pas dire ça. Il y a ce long travelling, au début, lors du premier bal de la jeune Natacha Rostov... » En écoutant Jean-Luc converser avec Rivette, Truffaut, Francis ou Michel Cournot, j'avais le sentiment de découvrir le monde à travers leurs yeux, leurs mots, et cet apprentissage de la vie me comblait.

Le lendemain et les trois jours suivants, je tournai mes dernières séquences, le cœur lourd à la pensée que j'allais rejoindre Nanterre et que le film continuerait sans moi. Mais une taquinerie de Jean-Pierre : « Toi, la plus belle femme de Paris? Ah! Ah! Ah! », ou une question chuchotée de Juliet : « Tu comprends tout ce que Jean-Luc te fait dire, toi? » et ma réponse, sur le même ton : « Non. Mais certaines citations de Mao sont un peu tartes, tu ne trouves pas? » avaient le pouvoir de me faire oublier la fac.

26 mars 1967

Toujours des plans de discussion et des charades. Je suis une abominable théoricienne et Juliet, tellement touchante.

Le tournage s'étant arrêté à 4 heures, nous sommes partis Juliet, Jean-Pierre et moi, fêter le printemps sur les Champs-Élysées. Devant le cinéma Publicis nous avons croisé Alain Cuny qui fut charmant et que moi et Juliet connaissions chacune de notre côté. Planqué derrière lui, Jean-Pierre nous faisait des grimaces, se tapait sur le ventre, essayait de troubler « les deux petites actrices en face du grand Cuny ». Puis nous sommes allés manger des glaces et Juliet et moi avons bien ri en voyant la honte de Jean-Pierre qui, pour la première fois de sa vie, se trouvait devant un café liégeois. Comme nous n'étions pas loin des *Cahiers*, il s'étranglait de peur à l'idée que Rivette ou Truffaut puissent passer et le surprendre le nez dans la chantilly.

Mardi 11 avril

Nanterre, ce matin, sous la pluie. Absente à tout ce qui m'entoure. Et puis, à 1 heure moins dix, alors que j'allais quitter la cafétéria pour aller en cours, j'entends mon prénom : c'était Charles et c'était comme s'il s'agissait d'un de mes amis d'enfance. Je me ruai vers lui et l'embrassai avec une immense joie. Plus de cours, plus rien, Charles et moi partons au milieu des flaques de boue pour rejoindre Jean-Luc, Raoul et Agnès qui tournaient des plans d'actualité devant la faculté. Quelques plans, puis un déjeuner où, entre Jean-Luc et Raoul, j'étais parfaitement heureuse. Raoul était curieusement doux dans sa bonne humeur et j'admirais ses poignets : jamais un homme ne les a eus aussi minces. Et puis, fini pour de bon.

Nostalgie des adieux. Je cherchais Charles et, ne le trouvant pas, m'en allai un peu triste. Et ce soir, vers 8 heures, sa voix au téléphone qui me disait simplement au revoir. J'étais émue, touchée, si malheureuse, aussi.

Raoul,

et Charles,

et Claude,

et Lebel,

et Gitt,

et Marilou,

et Edmond,

et Juliet et Jean-Pierre,

et les autres ?

Plus jamais ?

Durant le tournage, je n'avais pas vu ma famille et guère croisé ma mère et mon frère. Personne n'avait tenté de me retenir, j'avais apprécié cette inhabituelle discrétion. Mais de retour à la maison, je fus à nouveau assaillie de questions concernant mon avenir et ce mariage dont je ne parlais plus. Comment leur dire que ce que j'avais vécu durant ces trois dernières semaines me convenait parfaitement? Que partager le quotidien de Jean-Luc était tout ce que je souhaitais et qu'officialiser cette union ne me semblait pas urgent? C'était impossible. Je me réfugiai alors derrière le prétexte de mes examens du mois de juin et repris à contrecœur le chemin de Nanterre. L'enseignement tel qu'il continuait à y être pratiqué m'ennuya plus que jamais comme m'ennuya la monotonie de la vie familiale. J'avais goûté à autre chose, reprendre mon rôle de petite jeune fille, rue François-Gérard, ne me convenait plus. Si j'y étais présente physiquement, mes pensées et mes rêveries couraient ailleurs. Je vivais donc maintenant au jour le jour, ballottée entre des sentiments et des désirs souvent très contradictoires.

J'avais revu deux fois mon ancien amant et Jean-Luc ne le supportait pas. Selon lui, « je jouais avec le feu », « je nous mettais lui et moi délibérément en danger ». Il y eut des disputes, des menaces, beaucoup de larmes. Je trouvais révoltant qu'il veuille décider pour moi, qu'il me donne des ordres. J'étais dans ces moments-là comme un animal qu'on chercherait à mettre en cage et comme je le lui avais déjà expliqué en Normandie, chez Blandine, je devenais capable du pire. Puis je finis par lui céder et ne revis plus mon ancien amant.

Rassuré, Jean-Luc redevint l'homme léger, drôle, inventif et tendre auprès de qui je ne m'ennuyais jamais et qui continuait à me surprendre, à me charmer. Pourtant, une partie de moi avait été blessée. Les notes écrites dans mon journal parlent d'« aliénation », de « libre arbitre bafoué ». Avec le sérieux de mes dix-neuf ans, je m'interrogeais sur les dangers de l'amour et du mariage. « Aimer, c'est dépendre de l'autre, donc perdre sa liberté » était une phrase qui revenait souvent.

Mais c'était aussi le printemps et un printemps particulièrement délicieux. Grâce à Marilou, je m'étais offert un appareil photo, un Pentax, et deux objectifs, le 50 et le 105. Cette nouvelle occupation me passionna immédiatement. Je me mis à photographier ceux que je chérissais, Jean-Luc, Michel Cournot, mon frère, Blandine, Francis et ses nouveaux compagnons du Théâtre de Bourgogne. Pensant que je poursuivais mes cours privés de philo, ma mère me laissait partir un week-end sur deux à Beaune, en feignant d'ignorer que je m'y rendais avec Jean-Luc. Nous avions donc deux nuits pour nous, et les allers et retours dans l'Alpha Romeo, avec Nadja sur la banquette arrière, me rendaient euphorique. Je me laissais alors aller au bonheur d'aimer et d'être aimée.

Nous vîmes de plus en plus souvent Michel Cournot. Le dimanche, nous allions déjeuner chez lui, à Sceaux, où sa femme, Nella, organisait des pique-niques dans le jardin. Très slave, aussi singulière et séduisante que son mari, elle s'exprimait avec un irrésistible accent russe dans un français volontairement approximatif qui nous faisait beaucoup rire. Nous passions une partie de la journée à bavarder ou à lire, couchés dans l'herbe en compagnie de leur petit garçon de cinq ans, Yvan. Nous fêtâmes ensemble mes vingt ans.

Un matin, Jean-Luc m'appela au téléphone. « À quelle heure est ton dernier cours ? » Je le lui dis. « Parfait, je t'attendrai dans la voiture et nous foncerons à Orly chercher quelqu'un que j'aime bien et que, selon ton habitude, tu vas a-do-rer. — Qui ? — Surprise ! »

L'Alfa Romeo, si voyante que beaucoup d'étudiants, maintenant, l'avaient identifiée, était garée non loin de la cafétéria. Jean-Luc, à l'intérieur, lisait *Le Monde*, indifférent à la curiosité que sa présence sur le campus suscitait. Me voyant arriver, il m'ouvrit la portière et avant que je puisse dire quoi que ce soit :

— Oui, je sais, tu ne veux pas qu'on me voie à tes côtés à Nanterre, mais pour une fois, ne te fâche pas... Je te propose un jeu.

Il souriait d'aise en conduisant sa voiture en direction de l'autoroute du Sud et arborait des airs de gamin farceur. Il marquait aussi de longs silences attendant des questions que je ne manquais pas de lui poser, silences qu'il prolongeait pour ménager le suspens. Puis ne parvenant plus à se taire :

— Le cinéaste italien Bernardo Bertolucci arrive par le vol de 18 heures en provenance de Rome. Il ignore que je serai là et sera stupéfait de me voir. Il sera aussi enchanté de me découvrir amoureux d'un animal-fleur, actrice de Bresson et philosophe de surcroît. Il te plaira beaucoup... Mais j'y mets une condition : je vais te le décrire, on se cachera, et on verra si tu es capable de le reconnaître parmi les voyageurs. Ça te plaît?

— Oh, oui!

Nous étions en retard. Jean-Luc gara sa voiture n'importe comment et au pas de course, en bousculant les personnes qui se trouvaient sur notre chemin, me décrivit son ami.

— Imagine un jeune aristocrate romain... Il est beau, grand, élégant et portera sûrement un imperméable. Il ne sera pas accompagné, aura un petit bagage dans une main et peut-être un livre dans l'autre...

En partie dissimulés derrière un panneau publicitaire, nous regardâmes remonter les voyageurs du vol en provenance d'Italie. J'étais aussi excitée que Jean-Luc, très concentrée et dévorée par l'envie de gagner ce jeu. Soudain, je tendis le bras et d'une voix triomphante :

— C'est lui !

— Bravo !

Bernardo était tel que Jean-Luc l'avait dépeint : juvénile, beau, charmant et charmeur. Peu après cette première rencontre, je vis son film, *Prima della Rivoluzione*, qui me plut beaucoup. Dès lors, nous nous retrouvâmes souvent, que ce soit à Paris, à Rome ou à Venise.

Truffaut, Cournot, Rivette et maintenant Bernardo !

Je n'aurais pas su l'exprimer à l'époque, mais dans mon amour pour Jean-Luc, il y avait l'amour de son métier, de ses films et de ses amis : j'étais autant amoureuse de lui que de son univers. Cet amour n'avait-il pas commencé quand j'avais vu *Pierrot le Fou* et *Masculin Féminin* ? Lui, intuitivement, devait le comprendre et savait ce qu'il gagnait en m'entraînant à sa suite.

Oui, à ses côtés, le printemps 1967 était délicieux.

Mais pas tout le temps et surtout pas à Nanterre. Beaucoup d'étudiants et de professeurs m'avaient repérée comme étant « la petite amie de Godard » dont l'importance était considérable dans les milieux intellectuels. Qu'on l'apprécie ou qu'on le déteste, j'étais dorénavant associée à lui. Le bruit courait qu'il avait fait un film concernant la vie universitaire et j'avais le pénible sentiment d'être observée, scrutée, comme un animal bizarre. À cela s'ajoutait régulièrement la présence de photographes de presse qui espéraient nous surprendre Jean-Luc et moi. Toujours en alerte, je me sauvais dès qu'on me posait une question un peu personnelle. J'évitais même mes camarades anarchistes. « Tu en profites pour sécher tes cours, oui, voilà la vérité ! » me reprochait Francis lors de nos retrouvailles à Beaune.

Ma famille flaira quelque chose de nouveau dans ce manque d'enthousiasme vis-à-vis de mes études et Jean-Luc, tout occupé qu'il était par le montage de *La Chinoise*, aussi. Pour avoir la paix, il m'arrivait parfois de mentir à tous. Au lieu de me rendre à la fac, j'allais seule au cinéma. Dans l'obscurité des salles, j'éprouvais une enivrante sensation de liberté.

Un jour, à la séance de 14 heures, je croisai Cournot. Il s'étonna de me voir sans Jean-Luc et, à mon air embarrassé, devina. « Tu as bien raison. Nanterre et tes études de philo, ce sont rien que des conneries », dit-il affectueusement.

Jean-Luc avait reçu dès le mois de mars l'autorisation de mariage envoyé par la mairie de Begnins, canton de Vaud. Je n'en avais encore rien dit, car ma mère ne cessait de répéter : « J'ignore ce qui est le pire pour moi : te savoir la maîtresse de cet homme ou de l'avoir pour gendre. Mais dans un cas comme dans l'autre, c'est horrible ! »

— Marions-nous, tout serait tellement plus simple, proposait Jean-Luc.

Nous étions attablés dans le fond d'un café du Trocadéro, à l'abri des regards indiscrets. Dehors, il faisait beau et de nombreux touristes se pressaient aux terrasses. Quelque chose d'heureux flottait dans l'air avec ce premier soleil de printemps. Quelque chose qui rendait Jean-Luc particulièrement malin et optimiste.

— Si je demande ta main, on sera considéré comme fiancés et on nous fichera la paix. Après, on se mariera quand on le voudra. Je te l'ai dit, un coup de fil en Suisse et hop, mariés. À toi de choisir la date, mes années de plus m'ont appris la patience.

Sa bonne humeur me gagnait.

— Soit, mais tu dois demander ma main pour de vrai.

— À qui ?

— À mon grand-père.

— À François Mauriac ?

— Mais, oui !

Jean-Luc était consterné.

— Et si je demandais plutôt ta main à ton oncle Claude Mauriac ? Lui et moi sommes liés par le cinéma et en plus, nous nous apprécions.

— Impossible.

Son embarras commençait à beaucoup m'amuser. Puis j'eus pitié de lui et lui rappelai que ses films intéressaient beaucoup mon grand-père. Sur sa demande, début janvier, nous étions allés voir *À bout de souffle*, dans un petit cinéma des Champs-Élysées. Avec mon frère Pierre, il avait vu ensuite *Pierrot le Fou* et *Deux ou trois choses que je sais d'elle* qui venait de sortir.

— Tu vois, lui aussi t'apprécie.

Le jour dit, Jean-Luc, très intimidé, sonna à l'appartement de mes grands-parents. Une femme âgée en robe noire et tablier blanc lui ouvrit la porte et le pria de patienter quelques minutes dans l'entrée. Enfin, elle l'introduisit dans le salon où l'attendait mon grand-père, peut-être aussi intimidé que lui.

Pierre suivit la scène, caché dans l'ombre de l'escalier intérieur. Le soir il me décrivit ce qu'il avait vu.

— Jean-Luc était mignon, mais mignon... Il était propre de la tête aux pieds, rasé de près, bien coiffé et vêtu d'un élégant costume gris avec une cravate noire. Seul dans l'entrée, il semblait effrayé, avec des airs de petit garçon. Il aurait eu un bouquet de fleurs à la main que c'était le portrait craché de Buster Keaton dans *Fiancées en folie*.

Le lendemain, Pierre ajouta :

— Bon Papa m'a raconté combien il avait

trouvé Jean-Luc intelligent, charmant et sympathique. Il s'amusait bien en sa compagnie et puis, patatras, tu es arrivée. À partir de ce moment-là, selon lui, tout s'est figé et chacun a pris une pause guindée, dans le plus pur style de l'ennuyeuse tradition bourgeoise.

— Merci, dis-je, vexée.

— Je ne fais que citer les mots de Bon Papa. Notre grand-père avait la dent dure.

Une fois de plus, Jean-Luc avait eu raison. En demandant officiellement ma main à mon grand-père, c'est-à-dire en respectant les codes en vigueur dans la société française, il m'avait délivrée en partie de l'autorité familiale. Maman m'accordait davantage de liberté et tolérait que je « découche » à condition que cela ne se reproduise pas trop souvent. Jean-Luc passait parfois un moment à la maison et échangeait avec elle quelques paroles polies, voire mondaines, auxquelles elle répondait sur le même ton. Elle prit même avec son Kodak quelques photos de lui, Blandine, mon frère et moi, affalés sur le vieux sofa en train de regarder la télévision.

Mais la plupart du temps, je retrouvais Jean-Luc à l'extérieur, au cinéma, au restaurant et rue de Miromesnil. Il poursuivait le montage de *La Chinoise*, envisageait d'autres films que nous ferions ensemble. Un bref instant il rêva d'adapter *La Prisonnière* d'après Marcel Proust. Malheureusement, sa nièce et héritière, Mme Mante, lui répondit avec une extrême courtoisie que

« c'était au-dessus de ses moyens » et qu'elle songeait à Visconti ou à Joseph Losey. Jean-Luc fut déçu mais choisit d'en rire : « Et vouloir t'épouser, c'est au-dessus ou au-dessous de mes moyens ? ».

François Truffaut allait commencer le tournage de *La mariée était en noir*. Il avait appris mon goût nouveau pour la photo et me proposa très gentiment de faire un stage de quelques jours sur son film. Marilou, la photographe de plateau officielle, voulut bien m'accepter à ses côtés. Jean-Luc demeurait partagé : il appréciait ce geste amical mais craignait que je ne délaisse trop mes révisions. Lors de notre dernier week-end à Beaune, Francis m'avait sévèrement prévenue que « j'allais droit dans le mur ». Lui qui m'avait connue si éprise de philosophie se désolait de me voir m'en détourner et moi, je craignais de le décevoir. La proposition de François Truffaut tomba à pic pour me sortir momentanément de ce dilemme.

Je rejoignis l'équipe de *La mariée était en noir,* lors d'une scène qui se tournait en extérieur, dans un cimetière de la banlieue parisienne. Derrière la caméra, je retrouvai presque toute l'équipe technique de *La Chinoise*, dont Raoul Coutard. Mais je me gardai bien de les saluer pour mieux passer inaperçue. Je me contentai de suivre docilement les consignes de Marilou : rester derrière elle, faire des photos durant les répétitions, toujours dans le même axe que celui de la caméra.

Les acteurs, Jeanne Moreau et Jean-Claude Brialy, répétaient au milieu de nombreux figurants convoqués pour la circonstance. Il s'agissait d'une scène d'enterrement et Jeanne Moreau était en grand deuil, la tête recouverte de crêpe noir. Il faisait beau et chaud, ce jour-là. Entre deux prises, Jeanne Moreau soulevait son voile noir pour se rafraîchir et respirer à son aise. Je l'admirais, j'avais vu presque tous ses films et la photographier me causait une grande émotion. Mais un éclat de rire suivi d'un grinçant : « Oh, mais c'est la plus belle femme de Paris ! » me firent sursauter. Jean-Claude Brialy m'avait repérée et faisait allusion à ma fugace apparition dans le film de Jean Aurel. Ma présence surprit joyeusement les techniciens du film qui m'invitèrent à les rejoindre. « Reste à ta place, conseilla Marilou, tu n'es plus l'interprète principale de Godard, ici. » J'obéis et le tournage reprit.

Malheureusement, Raoul Coutard s'ingénia dès lors, pour de mystérieuses raisons, à me rendre cette première journée insupportable. Il alla même jusqu'à interrompre une prise en criant : « Coupez, la petite connasse en jaune est dans le champ ! » François Truffaut regarda dans ma direction et m'aperçut derrière Marilou, effarée de porter un pull-over en shetland jaune et d'être, peut-être, celle dont il était question. « Mais non, Raoul, dit-il calmement, cette jeune fille en jaune n'est pas dans le champ. On reprend ! Moteur ! » Mais j'en tremblai d'effroi durant tout l'après-midi.

Pour me remettre de cette épreuve, j'accompagnai le soir Marilou dans un bar de Saint-Germain-des-Prés où elle avait l'habitude de passer la plupart de ses nuits. Je l'y avais déjà suivie trois fois, attirée par cette vie nocturne où d'aimables inconnus refaisaient le monde autour de bouteilles de whisky. À Jean-Luc qui désapprouvait ces soirées, je répondais m'y rendre « en exploratrice de la société ». De fait je passais mon temps à observer et à écouter. Parfois Marilou et ses amis m'oubliaient et je demeurais seule sur la banquette du bar. « Oh, mon Dieu ! Tu es toujours là ! » se souvenait-elle soudain avant de me raccompagner jusqu'à la station de taxis. Elle me traitait comme une petite sœur et j'avais le sentiment qu'à sa façon, elle aussi m'apprenait la vie.

Ce soir-là, elle se montra particulièrement amicale et protectrice. « Oublie Coutard, il s'amuse à te bizuter, rien de plus », dit-elle en conclusion. Avant de refermer la porte du taxi qui me ramenait chez moi, elle ajouta : « Tu es trop timide et trop émotive. Laisse tomber le cinéma et retourne vite à tes chères études. D'ailleurs, c'est comme ça que Jean-Luc t'aime, en étudiante de philo. »

Je passai encore deux jours sur le film. Les scènes avaient lieu en intérieur et je regardais avec passion François Truffaut diriger Jeanne Moreau et Charles Denner. Je le trouvais d'une délicatesse inouïe, j'aimais sa douceur et l'entente qu'il parvenait à créer autour de lui. Coutard, absorbé par des difficultés techniques, oublia ma présence et je pus, malgré l'exiguïté des lieux, faire mes photos sans gêner personne. Je quittai le plateau de *La mariée* avec regret, plus amoureuse que jamais du cinéma. C'était bien là que se trouvait ma place, j'étais décidée à y revenir que ce soit devant ou derrière la caméra. Je m'en expliquai le soir même à Jean-Luc qui approuva : je travaillerais avec lui tout en poursuivant mes études. Il s'attendrissait :

— Ah, ce moment où, rentrant rue de Miromesnil, je te surprendrai occupée à préparer tes cours du lendemain...

Cette idée ne me plaisait pas du tout.

— J'ai dépassé l'âge des devoirs et des leçons à la maison !

— *Ainsi va la vie à bord du « Redoutable »*, récita-t-il en guise de réponse.

Le 29 mars, à Cherbourg, le gouvernement français avait inauguré un nouveau sous-marin baptisé *Le Redoutable*. Le journal *Le Monde* lui avait consacré une pleine page et l'article concluait : « *Ainsi va la vie à bord du "Redoutable".* » Cette phrase avait beaucoup diverti Jean-Luc qui la réutilisait à tout propos.

Semaine après semaine, j'expérimentais le sentiment amoureux qui me liait maintenant si étroitement à Jean-Luc. J'avais besoin de lui physiquement, de nos nuits rue de Miromesnil

216

ou dans des hôtels de passage ; besoin qu'il me désire aussi fort que je le désirais. Son regard sur les choses me surprenait, modifiait le mien. « C'est complètement réciproque, prétendait-il. Tu m'apprends autant que je t'apprends. »

Mais me découvrir aussi dépendante d'un autre être humain continuait de m'effrayer. Du plus loin de l'enfance, des peurs remontaient à la surface pour la première fois de ma vie. J'avais peur qu'il ne meure subitement dans un accident de voiture, peur qu'il ne rencontre une autre fille et qu'il ne me quitte. L'aimer autant me mettait à la merci de tous les désastres du monde. Dans ces moments très sombres, j'étais complètement perdue. Et puis cela passait.

J'étais à dix jours des examens qui décideraient du passage ou non en deuxième année de philosophie. Sous la pression de Jean-Luc et de Francis, je me jetai dans des révisions désordonnées, consciente, hélas, de ce qui m'attendait : depuis le tournage de *La Chinoise*, le retard accumulé était tel que mes chances de réussite approchaient le zéro. Néanmoins, je ne me déplaçais plus qu'avec un cartable plein de livres de philo et de cahiers de notes.

Le dimanche, Jean-Luc et moi étions venus déjeuner à Sceaux. Nella avait dressé une table dans le jardin sous le tilleul en fleur qui embaumait le miel. Le petit Yvan dormait à l'ombre, sur une couverture. C'était une journée qui poussait à la somnolence et qui réveillait chez

Jean-Luc le goût des paysages de son enfance. Il évoquait les montagnes suisses et le lac de Genève de façon à la fois précise et pudique, comme s'il se livrait à d'intimes confidences. Cournot l'écoutait rêveusement. Puis Jean-Luc changea de registre et attaqua Lelouch. Cournot riposta en conspuant les films défendus par *Les Cahiers du Cinéma*. Ils étaient de retour sur leur terrain de jeu favori, Nella avait rejoint son fils sur la couverture et dormait contre lui : il était temps de songer à mes révisions.

Une demi-heure s'écoula durant laquelle je tentai en vain de m'intéresser à deux matières que j'avais particulièrement délaissées : la logique et la sociologie. J'étais loin de l'enseignement de Francis, de la philosophie si vivante qu'il m'avait appris à aimer et pour laquelle il me croyait faite. Si le miracle de l'oral du bac se reproduisait et que je n'échouais pas, où trouver l'énergie pour continuer ces études ?

— Comment peux-tu te gâcher la vie avec de pareilles conneries ?

Je n'avais pas entendu venir Cournot, chaussé d'espadrilles. J'esquissai une moue désolée et il s'assit à mes côtés, dans l'herbe. Il prit les livres un par un, les feuilleta avec sérieux. Il ne disait rien mais il y avait dans son silence quelque chose d'attentif et de tendre. Le dernier livre refermé, il bougonna :

— Attends-moi, je reviens.

De ma place au fond du jardin, je voyais Nella et son fils, toujours endormis sur la couverture ;

Jean-Luc qui lisait des revues et soulignait au feutre certaines phrases ; le chat des voisins, perché sur le mur et qui semblait en proie à une profonde méditation. Aucun bruit ne parvenait de la rue, des autres maisons : c'était vraiment un délicieux dimanche de juin.

Cournot s'assit à nouveau à mes côtés et me tendit un livre, presque une brochure, *Ralentir travaux,* signé par André Breton, René Char et Paul Eluard.

— Cela te sera bien plus utile que ces affreux manuels de philo... La vie que nous aimons est ailleurs.

Il s'était mis à murmurer, je l'imitais.

— Et mes examens dans quelques jours ?

— Tu ne te présentes pas, c'est tout.

Il rangea les livres et les cahiers de notes dans mon cartable, soudain distrait par les mouvements de trois abeilles au-dessus des framboisiers. Jean-Luc, de sa chaise, nous appela en demandant « ce que nous complotions et quel mauvais coup nous avions l'intention de commettre ».

— Tu n'es pas obligée d'annoncer aujourd'hui ta décision, murmura encore Cournot.

— Non ?

— Non, et le jour dit, tu n'y vas pas.

Je serrai furtivement sa main.

— Merci.

Il venait de me dire exactement ce qu'il fallait. Oui, « la vie que nous aimions était ailleurs ».

Le mariage se décida aussi vite que l'abandon de mes études. J'étais partie une semaine dans le Midi chez mes amis d'enfance, avec leurs nouveaux amis que je ne connaissais pas. Deux groupes distincts s'étaient créés : ceux qui entraient à Sciences-Po et les autres dont je faisais partie. Des conflits parfois éclataient mais la plupart du temps nous nous amusions comme des potaches. Parmi nous se trouvait Nathalie, de retour de New York, avec qui je partageais une petite chambre et des conversations jusque tard dans la nuit. Avec elle, avec eux, je retrouvai l'insouciance des vacances et le plaisir enfantin d'avoir vingt ans tous ensemble.

Jean-Luc, de Paris, s'inquiétait. Il n'appréciait pas d'être loin de moi ni ce que je lui racontais, une fois par jour, au téléphone. Il ressentait comme une menace la présence d'inconnus et ma faculté de m'amuser, cet été-là, à propos de tout et de n'importe quoi. Il devenait jaloux, je m'en irritais et cela donnait lieu à des disputes que la distance et la rareté des appels téléphoniques rendaient rapidement dramatiques.

Le récit que je lui fis d'une soirée trop arrosée au cours de laquelle, pour choquer le camp adverse, Hélène et moi étions montées sur la table pour nous livrer à un strip-tease, le bouleversa. Il croyait voir dans cette provocation aussi stupide qu'innocente la confirmation de toutes ses peurs, la preuve que je ne l'aimais plus. Devant un tel chagrin, je ne trouvai qu'une seule réponse : « Marions-nous. »

Je quittai mes amis en leur dissimulant la vraie raison de mon départ. Se marier sans prévenir personne me plaisait et je retrouvai Jean-Luc avec bonheur. La nuit, dans ses bras, je réalisai qu'il m'avait manqué, physiquement, intellectuellement. Oui, je souhaitais ce mariage et en même temps, j'eus soudain une étrange intuition : « Je veux vivre le plus longtemps possible avec toi. Mais je sais que ce n'est pas pour toute la vie, que j'aurai d'autres amours et d'autres vies », lui dis-je dans un souci d'honnêteté. Jean-Luc me serra contre lui. « Peut-être, mais seul compte notre présent. Ne t'inquiète pas. » Il était calme, confiant et je m'endormis rassurée.

Au réveil, j'appelai mon frère Pierre qui avait rejoint notre groupe d'amis, dans le Midi. « Je me marie aujourd'hui à 3 heures avec Jean-Luc. C'est archi-secret mais vers 3 heures, annonce-le à tous nos copains présents et pense fort à nous. » Pierre était fier de cette preuve de confiance. « Je suis le seul à savoir ? — Le seul. »

Mais juste avant de raccrocher j'ajoutai : « Préviens tout de même Nathalie et dis-lui que je n'oublierai jamais que tout a commencé à Montfrin, il y a un an. »

Un ami suisse de Jean-Luc nous attendait à l'aéroport de Genève et nous partîmes tous les trois pour Begnins. Je regardais défiler le paysage de mon enfance, surprise de vérifier à quel point c'était aussi celui de Jean-Luc. « J'étais sur une rive du lac et toi sur l'autre. » Il approuva : « Oui, on se faisait vraiment face. À cela près que nous n'y étions pas en même temps. » Cette phrase me frappa, car il faisait rarement allusion à notre différence d'âge. Dès lors, je commençai à éprouver un bizarre sentiment d'irréalité, comme si je me rendais au mariage de quelqu'un d'autre.

Le maire était désolé. Fier de marier un de ses plus célèbres concitoyens, il ne s'attendait pas à ce que nous nous présentions sans famille, sans amis et dans nos vêtements de tous les jours. Lui s'était mis visiblement sur son trente et un et s'apprêtait à recevoir le gratin du cinéma français. Sa déception augmenta quand il réalisa que nous n'avions qu'un seul témoin, l'ami genevois qui nous accompagnait.

— Prenez votre secrétaire, un balayeur, n'importe qui, proposa Jean-Luc.

— N'importe qui ?

Le pauvre maire allait de surprise en surprise.

Il n'était pas au bout de ses peines. Après nous avoir lu une page de Ramuz, fait prêter

222

serment et tendu le registre des mariages, il vit Jean-Luc secouer négativement la tête.

— Le nom de ma femme est beaucoup plus beau que le mien, il n'y a aucune raison qu'elle en change. Est-ce qu'on ne pourrait pas inverser ? Je serais heureux et flatté de m'appeler désormais Jean-Luc Wiazemsky.

Et en se tournant vers moi :

— Tu es d'accord, j'espère ?

Une discussion d'une cocasserie irrésistible opposa durant de longues minutes Jean-Luc et le maire. Jean-Luc avec un sérieux imperturbable argumentait et réclamait des justifications juridiques au refus qui venait de lui être signifié. Je le savais capable de tenir des heures face au maire de plus en plus affolé et qui en était à citer, dans le désordre et sans aucune logique, différents articles de la loi. Son accent suisse très prononcé avait réveillé celui de Jean-Luc qui s'en donnait à cœur joie. Mais son ami intervint.

— Ce que tu demandes est impossible, un point c'est tout.

Nous nous apprêtions à prendre congé, il nous souffla :

— Vous ne pouvez pas vous sauver comme ça. À défaut de banquet, vous devez au moins offrir une tournée.

Et c'est ainsi que nous nous retrouvâmes, lui, le maire, la secrétaire qui m'avait servi de témoin, Jean-Luc et moi à boire du vin blanc dans le café le plus proche. Jean-Luc se contenta de tremper ses lèvres dans le verre tandis que le maire, soulagé d'en avoir fini, but presque à lui seul le contenu du carafon de crémant.

Au moment de nous séparer et en serrant la main de Jean-Luc, il eut cette phrase qui nous mit en joie pendant des semaines :

— À la prochaine, monsieur Godard !

Et, réalisant ce qu'il venait de dire :

— Oh, pardon !

Nous étions le 21 juillet 1967.

De retour à Paris, j'appelai ma mère et lui annonçai avec un minimum de mots que j'étais mariée. Je profitai de sa stupeur pour lui demander de prévenir mes grands-parents et de sortir Nadja. « Je ne rentrerai pas ce soir à la maison. À demain, maman chérie. » Jean-Luc se lavait les mains dans la salle de bains. Il rectifia :

— Ta maison, maintenant, c'est ici et plus rue François-Gérard et ton numéro de téléphone c'est Anjou 15 30 et plus Bagatelle 96 71. Il va falloir que tu t'y habitues.

Je contemplai la chambre de la rue de Miromesnil où nous avions tourné *La Chinoise* et passé beaucoup de nuits sans bien comprendre la portée de ses mots. La pensée que j'étais maintenant une femme mariée n'avait aucune réalité, aucun sens. Nous venions de vivre une expérience burlesque dans le canton de Vaud, c'était une parenthèse, rien de plus. Pourtant un livret de famille vert et un passeport suisse rouge m'avaient été remis qui assuraient que je m'appelais désormais Anne Godard. En quoi étais-je différente de la veille au soir ?

— En rien, tu es le même animal-fleur. Allons dîner au restaurant basque de la rue du Cirque, comme d'habitude, proposa-t-il en insistant sur le « comme d'habitude ».

Qu'il prenne les choses avec un tel détachement me rassurait et en même temps me choquait. Je désirais à la fois oublier ce mariage et le fêter ; ne rien changer et alerter mes amis. Jean-Luc me taquinait :

— Quel remue-ménage dans ce crâne !

Pour me faire plaisir, il accepta de boire une demi-coupe de champagne mais refusa ma proposition de rejoindre Marilou dans son bar de Saint-Germain-des-Prés. « J'ai horreur de ce ramassis d'alcooliques », dit-il avec dédain. Mais, afin de me démontrer que j'étais toujours aussi libre, il m'encouragea à m'y rendre. « Tu ne rentreras pas trop tard, demain je dois montrer notre film aux Chinois de l'ambassade de Chine. Et n'oublie pas, c'est notre nuit de noces ! »

À peine dans le bar, je regrettai d'être venue. Marilou ne comptait pas à côté de Nathalie, mon frère, Blandine, Francis ou Cournot à qui j'aurais tant aimé raconter cette drôle de journée et mon stupéfiant changement d'identité. Malheureusement, aucun ne se trouvait à Paris.

Marilou avait déjà bu quelques verres. Elle parlait un peu trop fort et manifestait une forme inhabituelle d'agressivité à l'égard de son ex-compagnon, Paolo, correspondant à Paris du quotidien communiste *L'Unità*. C'était un homme doux et sensible que j'appréciais beaucoup et avec qui il m'arrivait d'échanger quelques mots. Ce soir-là, comme souvent, il était accompagné d'une jeune et belle comédienne de théâtre, encore plus silencieuse que lui et dont je ne connaissais que le prénom : Claude. Elle me fit un petit signe de la main et je m'installai à leurs côtés, tournant le dos à Marilou, perchée sur son tabouret de bar. Nous échangeâmes quelques banalités sur les vacances d'été et sur Paris qui se vidait. Je me sentais anormalement agitée et fumais cigarette sur cigarette. Loin de me calmer, le verre de whisky avalé cul sec en arrivant accentuait ma nervosité. Marilou qui s'ennuyait seule au bar nous avait rejoints avec son verre et sa bouteille.

— Qu'est-ce qui t'arrive, ce soir ? demanda-t-elle.

— Il m'arrive que je me suis mariée.

La réponse m'était venue si vite que j'en restais sans voix, stupéfaite de m'être livrée ainsi. Je découvrais sur le visage de mes compagnons le poids de cette nouvelle, la portée de ce que je venais de dire. Claude et Paolo hésitaient entre l'incrédulité et l'amusement. Marilou, elle, me fixait avec une dureté que je ne lui connaissais pas.

— Avec Jean-Luc ?

Impressionnée par son ton, je fis oui du menton. Il y eut un silence entre nous que Claude, la première, se décida à rompre.

— Félicitations, dit-elle.

— Félicitations? répéta Marilou en la foudroyant du regard.

Paolo, à son tour, voulut dire quelque chose mais se tut en voyant Marilou se resservir un grand verre de whisky. Elle le vida lentement. À nouveau elle me fixait comme si elle me voyait pour la première fois. On lisait dans ses yeux un mélange d'incompréhension et de colère.

— C'est incroyable, dit-elle enfin, que Jean-Luc ait choisi d'épouser une petite fille de la bourgeoisie, une gamine qui ne connaît rien de la vie. C'est une femme dont il aurait besoin, une femme qui a vécu, une femme qui pourrait le seconder...

Paolo, en italien, tenta de l'interrompre mais rien ni personne ne pouvait arrêter Marilou.

— Marina Vlady, ça ne m'aurait pas plu mais j'aurais pu comprendre. Alors que toi...

Abasourdie par ce mélange de colère et d'amertume, je me levai et ramassai à toute vitesse mes cigarettes, ma veste et ma besace. Partir me semblait la seule issue possible comme me le confirmaient la grimace désolée de Claude et le haussement d'épaules de Paolo. Mais Marilou me retint par le bras.

— Ne t'en va pas, dit-elle sur un tout autre ton. Après tout, si Jean-Luc a besoin d'une femme enfant, tant pis pour lui. Les hommes me surprendront toujours. Buvons ensemble le verre de l'amitié, comme vous dites en France.

J'hésitai. Marilou avait retrouvé son sourire

chaleureux et je mis ses propos sur le compte de l'ivresse : n'avait-elle pas auparavant été agressive avec Paolo ? Je me rassis à ses côtés. Une conversation des plus anodines commença où il était à nouveau question de l'été, des vacances, et Marilou ne fit plus aucune allusion à Jean-Luc et à notre mariage. Mais il était temps pour moi de rentrer. Tandis que je leur disais à tous bonsoir, elle me désigna un inconnu perché sur un tabouret qui, depuis déjà un long moment, me dévisageait.

— Celui-là aimerait bien te draguer, c'est évident. Elle me raccompagna jusqu'au seuil du bar et après m'avoir embrassée, elle ajouta en ricanant :

— Les hommes qui auront envie de te baiser croiront en plus baiser Godard. Tu ne sauras plus jamais si c'est toi ou si c'est lui qu'ils désirent. Pas très confortable, ma petite fille...

Cette phrase me choqua et m'atteignit si douloureusement que je pleurai durant toute la course du taxi qui me ramenait rue de Miromesnil et après, sur la dernière marche de l'escalier, au sixième étage. Puis, je séchai mes larmes et décidai d'essayer de l'oublier.

De retour dans l'appartement, je me glissai silencieusement dans le lit de peur de réveiller Jean-Luc. Il ne dormait pas et me prit tout de suite dans ses bras, tendrement, amoureusement. « Ma femme », répéta-t-il plusieurs fois sur un ton émerveillé. Si notre mariage continuait à me sembler irréel, son corps, son étreinte ne l'étaient pas et cela seul comptait. Avec lui j'étais à l'abri, protégée, il saurait me défendre contre toutes les méchancetés du monde.

Jean-Luc était très excité à l'idée de montrer *La Chinoise* à l'ambassade de Chine. Rasé de près, il portait son élégant costume gris, celui de la demande en mariage. Il semblait sûr de lui. « Ils vont être stupéfiés par le film. Peut-être vont-ils nous inviter à venir le présenter en Chine. Ça te dirait d'aller à Pékin ? » Je répondais à peine, occupée à écouter au téléphone les félicitations émues de mon frère et de Nathalie. Ils appelaient du Midi, entourés par mes amis d'enfance, et j'avais la bizarre sensation qu'ils me parlaient avec quelque chose qui s'apparentait à du respect. La phrase : « Ainsi donc tu es mariée... » revenait sans cesse, au point que je finis par dire à l'un d'entre eux : « Mais enfin, qu'est-ce que ça change ? — Rien, rien », me répondit-on. Je n'en étais pas si sûre et raccrochai troublée.

— Je repasse te prendre vers l'heure du déjeuner, cria Jean-Luc sur le seuil de la porte d'entrée. On ira saluer ta mère, récupérer Nadja et des vêtements pour toi.

J'appelai ensuite ma mère.

— Comment as-tu pu ne pas me prévenir ? Me tenir en dehors de tout ? me reprocha-t-elle aussitôt.

J'essayai de lui expliquer que ce mariage avait été volontairement tenu secret pour nous protéger de la curiosité des journalistes. Elle ne voulait rien entendre.

— Ton frère et Nathalie savaient, eux !

— Quelques heures avant, c'est tout !

Je tentai sans succès de me justifier, consciente de me comporter avec elle à nouveau comme une petite fille. Je n'arrivai pas à comprendre si je lui avais fait de la peine, ce qui me désolait, ou si elle était seulement vexée.

— Comment comptes-tu t'y prendre pour prévenir ta famille et tes amis ? insistait-elle. Tu vas envoyer des faire-part ? Organiser une grande réception où nous serons tous invités ?

— Rien de tout ça. Nous le dirons au fur et à mesure de nos rencontres, c'est plus simple et bien plus amusant !

J'ajoutai une fois de plus que je ne me considérais pas comme une femme mariée et que je comptais bien de temps en temps revenir dormir rue François-Gérard. J'ajoutai que je serais heureuse de passer quelques jours avec mes grands-parents, Claude Mauriac, sa femme et ses enfants à Malagar, comme j'en avais l'habitude, à la fin de l'été.

— Seule ou accompagnée ?

— Je n'en sais rien !

Je passai le reste de la matinée à me demander sincèrement pourquoi ils attachaient tous autant d'importance à ce fichu mariage. Mais le soleil entrait par toutes les fenêtres et donnait un air de fête à cet immense appartement qui était désormais le mien. D'y avoir tourné

La Chinoise me l'avait fait aimer et je m'y sentais depuis complètement chez moi. On avait effacé les citations de Mao Tsé-toung et enlevé les tableaux noirs. Seules les dominantes bleu, blanc, rouge chères à Jean-Luc demeuraient et l'ensemble était toujours aussi beau.

Un bruit de clef m'avertit du retour de Jean-Luc. J'enfilai rapidement une des mini-robes offertes par lui quelques semaines auparavant, attachai mes cheveux en queue-de-cheval et me précipitai à sa rencontre. Pour m'arrêter saisie par l'expression douloureuse de son visage.

— Les Chinois de l'ambassade ont détesté le film. Ils m'ont dit que je ne comprenais rien à leur pays, rien à leur révolution, rien au Petit Livre rouge. Ils m'ont encore dit que mon film était l'œuvre d'un crétin réactionnaire et que s'ils en avaient le pouvoir ils m'interdiraient de l'appeler *La Chinoise*. Bref, c'est tout juste s'ils ne m'ont pas foutu dehors, dit-il d'une voix morne.

Je retins mon envie de rire, car je comprenais que sa peine était sincère.

— Je suis tellement déçu, dit-il encore.

— Je sais. Mais beaucoup d'autres l'aiment et l'aimeront.

Je faisais allusion aux premières projections qui avaient enthousiasmé François Truffaut, Jacques Rivette, Cournot et quelques amis ; à l'avant-première mondiale qui aurait lieu début août, dans la cour d'honneur du palais des papes, en Avignon ; à la probable sélection du film au prochain festival de Venise.

Ma mère s'efforça de ne pas montrer sa désapprobation quand elle nous ouvrit la porte. Elle m'embrassa rapidement sur la joue et après un court moment d'hésitation fit de même avec Jean-Luc. Je les laissai en tête à tête et montai dans ma chambre pour remplir à la hâte une valise. En vrac, quelques vêtements, quelques livres, quelques photos et quelques disques. Nadja me faisait une fête démesurée à laquelle je répondais distraitement tant je continuais à éprouver un tenace sentiment d'irréalité. « Je quitte ma chambre, je quitte ma maison et toi tu viens avec nous. » Ces mots murmurés à la chienne n'avaient aucune consistance.

En bas, ma mère et Jean-Luc poursuivaient une laborieuse tentative de conversation. Jean-Luc avait toujours cet air chagrin qui le faisait ressembler à Buster Keaton. Je m'assis à ses côtés, un peu désemparée.

— On dirait que le mariage ne vous réussit pas, remarqua ma mère. Je ne vous ai jamais vus aussi malheureux, surtout vous, Jean-Luc.

Jean-Luc enleva ses lunettes et la regarda fixement.

— Je suis heureux d'avoir épousé Anne et je suis aussi très malheureux : les Chinois de l'ambassade de Chine n'ont rien compris à mon film.

— Pardon ?

Jean-Luc essaya de lui expliquer les espoirs qu'il avait mis dans cette projection et la peine que lui causait le mépris des officiels chinois.

— Vous êtes un enfant, lui répondit maman avec un sourire amusé.

Elle s'était levée, ce qui signifiait que l'entretien était terminé. Nous fîmes de même et elle nous embrassa un peu plus chaleureusement. De la quitter me rendit soudain un peu triste et je le lui dis.

— Vous êtes deux enfants, corrigea-t-elle.

Dans l'ascenseur, Jean-Luc maugréa :

— Oui, on est deux enfants. Et alors? C'est très bien, les enfants!

Le soir, nous étions invités à une projection privée du film de Jean Aurel, *Lamiel.* Cournot était déjà dans la salle et je m'assis entre lui et Jean-Luc. Nous étions contents d'être là et amusés par Cournot qui grognait régulièrement : « C'est nul! »

Quand arriva la scène à laquelle j'avais participé et que j'entendis la phrase de Jean-Claude Brialy : « Vous voyez en face de nous? C'est la plus belle femme de Paris », je ne me reconnus pas dans le morne gros lapin qu'il désignait. Jean-Luc et Cournot explosèrent de rire. Le premier à peu près discrètement, l'autre ouvertement, bruyamment. Entre deux hennissements, il répétait à voix haute : « La plus belle femme de Paris, tu parles! » Je me ratatinais dans mon fauteuil, humiliée, au bord des larmes. « Je t'en prie, Michel, arrête. — Pardon, mais c'est trop drôle », et son fou rire repartait de plus belle.

Jean Aurel attendait ses invités à la sortie de la salle. Il vint à moi, l'air désolé.

— Pardon, Anne. Il y a eu un problème d'éclairage juste sur vous et cette séquence était trop chère pour que je puisse la retourner.

— Vous auriez dû couper le plan au montage, lui reprocha Jean-Luc.

— Ah, non, protesta Cournot. C'est la seule bonne scène du film. Là, au moins, on se marre !

Dans la rue, comme il continuait de rire, Jean-Luc prit ma défense.

— La femme que nous avons entraperçue dans le film d'Aurel n'est certainement pas « la plus belle femme de Paris » mais c'est la mienne : nous nous sommes mariés hier.

— Non ?

— Si !

Cournot nous serra l'un après l'autre longuement dans ses bras, visiblement très ému, puis il nous quitta précipitamment et sans se retourner, comme il le faisait toujours.

Nous rentrions à pied de la rue de Ponthieu à la rue de Miromesnil. Le soleil déclinait et nous nous attardâmes un moment dans les allées du jardin des Champs-Élysées en évoquant les fantômes de Gilberte et du narrateur de la *Recherche*. Je m'efforçais de dissimuler le chagrin que me causait le souvenir de cette horrible image de moi. Jean-Luc, pas dupe, m'invita à

m'asseoir sur un banc et me prit dans ses bras
pour me consoler.

— Nous sommes maintenant à égalité, dit-il.
J'ai eu ce matin une affreuse déception avec *La
Chinoise* et toi, ce soir, avec *Lamiel*. Mais il ne
faut plus y penser, oublions les Chinois et Jean
Aurel. Comme dirait ton cher Arsène Lupin à
l'inspecteur Ganimard : *Inspecteur, je vous piétine
longuement.*

Et comme j'esquissais un début de sourire.

— *Ainsi va la vie à bord du « Redoutable ».*

Le lendemain matin, Jean-Luc et moi sortîmes pour promener Nadja. À peine étions-nous dans la rue que nous fûmes entourés par plusieurs photographes et journalistes. Ces derniers nous bombardaient de questions sur les conditions de notre mariage en Suisse. J'étais stupéfaite et apeurée, Jean-Luc furieux. « Laissez-nous tranquilles, fichez le camp. » Il voulut m'entraîner dans une tentative de fuite, mais les journalistes et les photographes couraient devant nous. Les flashes crépitaient, Nadja terrorisée tirait sur sa laisse et je sentais sa panique me gagner. Jean-Luc alors s'immobilisa et posa un bras protecteur sur mes épaules. « N'aie pas peur, murmura-t-il. Nous n'arriverons pas à leur échapper, posons pour eux, ils prendront leurs photos et puis ils s'en iront. » Je tremblais et il ajouta : « C'est juste un mauvais moment à passer. Essaye de faire comme moi et de leur sourire. » Je fis ce qu'il demandait, sensible à la pression de sa main, à la chaleur et à la force qui s'en dégageaient. Mais les journalistes ne désarmaient pas et réclamaient des détails sur notre mariage. « Pas de commentaires », répondait invariablement Jean-Luc. J'admirais son calme et sa détermination. Enfin, ils partirent.

Nous attendîmes que Nadja fasse ses besoins pour remonter à l'appartement. Le téléphone sonnait et Jean-Luc décrocha. J'étais à côté de lui dans le bureau et vis son visage grimacer de contrariété. Puis, en imitant le ton d'un débile mental profond, il consentit à répondre à ce qui semblait être des questions :

— Non, madame, nous ne nous sommes pas mariés hier, nous sommes mariés depuis trois mois.

Il me fit signe de prendre l'écouteur.

— Mais, monsieur, la famille est catégorique, vous vous êtes mariés hier, insista une voix de femme.

— La famille l'ignorait, madame. Nous avons gardé le secret et annoncé la nouvelle, hier, madame. Vous et votre journal êtes mal informés, madame.

La voix de femme se troubla.

— Je vais enquêter auprès de la mairie, en Suisse.

— Faites comme bon vous semble, madame. De toutes les façons monsieur le maire vous dira ce que je lui ai demandé de dire, madame. Entre compatriotes suisses, que voulez-vous, on s'entraide...

Et il raccrocha, avec un mélange de colère et de plaisir.

— Pourquoi as-tu inventé cette version ?

Il me regarda avec son air de gamin satisfait d'avoir réussi un mauvais coup.

— Pour l'emmerder. Ils fichent la pagaille chez nous ? Fichons la pagaille chez eux !

Le téléphone sonna à nouveau. Jean-Luc décrocha, prêt à reprendre son ton d'idiot du village. Mais son visage se détendit. Il me fit à nouveau signe d'écouter et je reconnus la voix de Blandine qui se trouvait avec ses parents, en Normandie. Entre deux fous rires nerveux, elle nous apprit que notre mariage était annoncé dans le carnet mondain du *Figaro*. Comme nous n'arrivions pas à la croire, elle nous lut l'annonce qui datait du jour même : *Mariage : la princesse Wiazemsky nous prie d'annoncer le mariage de sa fille Anne avec le cinéaste Jean-Luc Godard. Cet avis tient lieu de faire-part.* Nous étions abasourdis. Blandine craignait d'avoir fait une gaffe et s'empressa de mettre fin à la conversation : « N'en veux pas trop à ta mère. Je suis sûre qu'elle croyait bien faire », ajouta-t-elle. Blandine aimait beaucoup maman.

Le téléphone continuait de sonner et Jean-Luc, maintenant, ne voulait plus répondre. Il était découragé par ce qu'il prévoyait de la suite des événements.

— À cause de ta mère, nous allons les avoir tous sur le dos en permanence. Je me demande ce qu'il faut faire. Donner une conférence de presse, attendre que ça passe, se cacher ailleurs...

— Une conférence de presse sur nous !

J'étais horrifiée à l'idée d'exposer notre vie privée au tout-venant, furieuse contre ma mère et humiliée : l'annonce du carnet mondain du *Figaro* nous couvrait de ridicule, ce ne pouvait pas être pire.

Ma colère ne faisant qu'augmenter, je me rendis chez ma mère et l'accablai de reproches.

— Pourquoi tu as fait ça ? On s'est mariés en cachette pour se protéger !

— Je voulais qu'on cesse de penser que tu étais sa maîtresse !

— Et alors, en quoi c'est mal d'être la maîtresse de Jean-Luc ?

— Parce que c'est faux, tu es mariée, maintenant !

Nous tournions en rond sans parvenir à nous comprendre. Chez elle, chez mes grands-parents, les téléphones aussi ne cessaient de sonner. Des journalistes se bousculaient pour recueillir leurs témoignages, espéraient une interview exclusive de François Mauriac. Ma mère se désolait. Sa détresse finit par m'adoucir. Je la devinais sincère, loin du désir de me nuire : comme l'avait dit Blandine, elle avait cru bien faire.

La journée s'écoula sans autre incident. Le soir, Jean-Luc et moi allâmes au cinéma revoir le film de Bergman, *Persona,* que nous avions tant aimé, puis, par précaution et après être allés chercher Nadja, nous partîmes nous promener et dîner dans un autre quartier. De retour rue de Miromesnil, Jean-Luc trouva un mot de Cournot, glissé sous la porte et qui lui était adressé. Amusé, il m'en fit la lecture à haute voix :

« Je passerais bien une modeste interview de toi sur La Chinoise. Je la revois jeudi, matin et soir. Veux-tu qu'on se rencontre jeudi après-midi ou avant, au journal, ou ailleurs ? Appelle-moi à la maison le matin de bonne heure ou au journal, RIC 00 50 vers midi.

Je t'embrasse.

Michel.

P.-S. : J'ai lu le carnet mondain du *Figaro,* c'est très bien, c'est rédigé de telle manière qu'on dirait une histoire d'objet perdu ou de non-responsabilité de ce que A.W. pourra désormais commettre (ou plus simplement l'annonce d'un décès new look) ».

L'humour de Cournot nous amenait à trouver une certaine drôlerie dans ce qui, bien malgré nous, nous arrivait. Depuis un an, nous prenions toutes les précautions du monde pour être discrets, ma famille me reprochait régulièrement d'attirer l'attention sur elle et sur François Mauriac, et c'était cette même famille, dans un souci de bienséance, qui avait déchaîné cette tempête. À nouveau, le téléphone sonna et Jean-Luc décrocha.

— Non, monsieur, nous ne voulons pas un reportage sur nous dans *Paris Match*, nous nous fichons de *Paris Match* et d'ailleurs, j'emmerde *Paris Match*.

Et il raccrocha sans écouter davantage les protestations de son interlocuteur. À un autre moment sa riposte m'aurait fait rire mais là, je ne ressentais plus qu'un immense sentiment de découragement, égal à celui qu'éprouvait maintenant Jean-Luc. Mais cela ne dura pas. Jean-Luc se ressaisit, retrouvant ce côté combatif qui m'avait souvent frappée.

— Ils ne vont plus nous lâcher... Je verrai Cournot demain et expédierai ce que j'ai encore à faire à Paris. Nous prendrons l'avion en fin de journée pour Marseille et filerons à Avignon : les gens du festival seront ravis de nous avoir plus tôt que prévu. Nous louerons aussi une voiture de manière à nous balader où bon nous semble. Jeanne Moreau que j'ai croisée il y a peu nous invite chez elle, dans sa maison de La Garde-Freinet. Si ça t'amuse, on passera la voir. Bref, pour fuir ces vautours, prenons deux jours de vacances !

Dans la salle d'embarquement nous attendions l'appel pour le vol de Marignane, contents de quitter Paris et d'échapper ainsi aux poursuites des journalistes. Je tenais Nadja en laisse et elle dormait sagement à mes pieds quand un flash nous fit tous les trois sursauter : un photographe que nous n'avions pas vu venir nous mitraillait. « Je vais lui casser la gueule », dit Jean-Luc en esquissant le geste de se lever. Il y avait beaucoup de monde autour de nous et la violence de Jean-Luc me fit peur. Dans une sorte de réflexe enfantin de riposte, je saisis mon Pentax qui se trouvait dans ma besace et me mis à mon tour à mitrailler le photographe. Les gens autour riaient et le photographe s'enfuit furieux. « Bien joué ! » approuva Jean-Luc. Je lisais dans ses yeux qu'il était fier de moi.

Le Festival nous avait réservé une chambre dans l'hôtel de La Magnaneraie, à Villeneuve-lès-Avignon, où logeaient les gens de théâtre. On nous servit un dîner dans le jardin. C'était une douce et odorante nuit d'été qui nous évoquait le Montfrin de l'année passée, quand nous nous étions aimés pour la première fois. Il régnait dans l'hôtel et le jardin un calme absolu, car tous les comédiens étaient en train de jouer leur spectacle. Plus tard, bien après minuit, ils rentrèrent tous en même temps dans un brouhaha ponctué de rires et de claquements de portes. Réveillés en sursaut, nous avions trouvé cette pagaille plutôt rassurante et nous nous étions rendormis soulagés d'être là, en sécurité, parmi eux.

Le lendemain matin, nous fûmes heureux de retrouver le jardin. Tout l'hôtel dormait encore et la lumière du Midi nous confirma que nous étions là pour notre plaisir, en vacances. Il faisait déjà très chaud, nous prîmes le petit déjeuner à l'ombre d'un mûrier platane tandis que Nadja, délivrée de sa laisse, courait dans les massifs de fleurs. Nous regardions la presse du jour où nos portraits s'étalaient sur toutes les unes. « Je ne sais pas si nous avons l'air de parfaits crétins ou de pauvres victimes, commenta Jean-Luc. — Les deux ? » suggérai-je.

Les uns après les autres les gens de théâtre, les yeux encore ensommeillés, la mine brouillée, apparaissaient dans le jardin. Beaucoup de comédiens, de comédiennes et de metteurs en scène connaissaient Jean-Luc et nous firent fête. Par la presse ils avaient appris notre mariage et ce fut un concert de félicitations et d'embrassades. J'en avais vu beaucoup jouer, je les admirais et la simplicité de leur accueil, leur gentillesse me ravissaient. Trop intimidée pour répondre à leurs compliments, je me contentais de leur sourire en balbutiant de temps à autre un « merci » qu'ils qualifiaient de « charmant ». « Comme vous êtes jeune ! » me répétaient-ils et quand je leur disais mon âge : « Vingt ans ? Oh, non, vous faites tout juste quinze ! — Il ne faut pas exagérer, protestait Jean-Luc, je n'ai tout de même pas épousé une enfant ! » Il faisait semblant d'être choqué, mais je le devinais fier de l'intérêt que je suscitais, heureux de pouvoir désormais me montrer à toutes et à tous. Je sentais en permanence son regard attendri posé sur moi et qui semblait dire à cette joyeuse bande : « Oui, c'est ma femme ! »

Dans les bureaux du Festival, je fis la connaissance de Jean Vilar qui incarnait pour moi toute la noblesse du théâtre. J'étais allée me jeter à ses pieds en le suppliant de rester quand j'avais appris qu'il quittait définitivement la direction du TNP. J'avais alors seize ans, je rêvais de faire du théâtre et de travailler avec celui qui avait si bien connu mon idole, Gérard Philipe. Son départ brisait tous mes rêves. Il avait patiemment écouté mes bafouillis, signé mon carnet d'autographes et m'avait conseillé de tenter le Conservatoire. Puis il s'était tourné vers d'autres admirateurs. Quatre ans après, lui serrer seulement la main me bouleversa. « Ainsi donc, c'est vous qui incarnez *La Tonquinoise*, dit-il aimablement. — *La Chinoise*, rectifia Jean-Luc. — Oui, bien sûr », s'excusa-t-il. Il nous présenta Maurice Béjart qui venait d'entrer dans le bureau et disparut appelé par un de ses collaborateurs.

Maurice Béjart prit la main de Jean-Luc et la serra avec force.

— J'ai beaucoup d'admiration pour vous, dit-il avec chaleur. J'aimerais que nous fassions quelque chose ensemble. Pouvons-nous déjeuner ?

— Là ? Tout de suite ?

Jean-Luc était surpris par le côté direct de cette invitation. Il se tourna vers moi.

— Ça te dit ?

J'étais si impressionnée que je ne pus que hocher la tête en signe d'approbation.

— Puisque mademoiselle est d'accord, al-

lons-y, je répète dès 14 heures *Roméo et Juliette,*
dit Maurice Béjart en prenant Jean-Luc par le
bras et en se dirigeant vers la sortie.

— Pas « mademoiselle », madame, corrigea
Jean-Luc. Anne Wiazemsky est ma femme.

Maurice Béjart m'adressa un radieux sourire
et son bras libre se glissa autour de ma taille.
Puis, nous tenant l'un et l'autre fermement, il
nous entraîna vers un restaurant de la place de
l'Horloge.

— Où avais-je la tête ? On ne voit que vous
deux à la une de tous les journaux ! C'est l'émotion, je suis si heureux d'être avec vous, cher
Jean-Luc ! Je peux vous appeler Jean-Luc et
Anne ?

Nous prîmes place à la terrasse d'une brasserie où un serveur s'empressa d'ouvrir un parasol
pour nous protéger du soleil en répétant
presque amoureusement : « Quel honneur de
vous revoir parmi nous, monsieur Béjart ! » Il
n'était pas le seul à exprimer aussi ouvertement
son admiration. Des festivaliers venaient lui
parler et lui tendaient des bouts de papier que
Maurice Béjart signait avec bonne humeur. Mais
à chaque fois il désignait Jean-Luc et affirmait
avec une absolue sincérité :

— Je suis en compagnie de Godard. Le vrai
génie, c'est lui !

— Je vous en prie, murmurait Jean-Luc de
plus en plus mal à l'aise d'être ainsi désigné aux
passants.

L'espèce de cacophonie qui s'ensuivit n'avait

plus grand-chose à voir avec une conversation. Maurice Béjart parlait sans arrêt, sautant d'une idée à une autre. Il donnait le sentiment d'avoir cent projets en même temps et Jean-Luc, pour une fois, était dérouté. Il tentait ici et là une pirouette mais ne parvenait pas à fléchir l'indomptable vitalité de son interlocuteur. Je me taisais et les écoutais sans comprendre : « J'ai la chance de rencontrer cet homme et tout ce qu'il trouve à dire n'a ni queue ni tête...! » Bien des années plus tard, je me lierais d'amitié avec Maurice Béjart qui m'expliquerait qu'il était lors de cette rencontre « mort de timidité ». Je le verrais ensuite se conduire exactement de la même façon avec Nino Rota et Federico Fellini. Mais en 1967, à vingt ans, je ne pouvais pas imaginer que cet immense artiste, confronté à un cinéaste qu'il adulait, s'était retrouvé aussi démuni qu'un petit enfant devant un maître d'école.

À l'heure dite, Maurice Béjart nous quitta pour rejoindre ses danseurs. Il serra la main de Jean-Luc, m'embrassa affectueusement sur la joue et nous assura de sa présence lors de la projection en plein air de *La Chinoise*, dans la cour d'honneur du palais des papes.

— Il m'a épuisé, gémit Jean-Luc une fois qu'il eut disparu.

Nous en étions au dessert quand le flash d'un appareil photo nous ramena à notre réalité, celle de deux personnes qui ne voulaient pas faire parler d'elles et que, partout, on pourchassait.

— Demain, on file vingt-quatre heures chez Jeanne Moreau, murmura Jean-Luc avec lassitude.

Le soir nous avions choisi de voir *Tartuffe*, mis en scène par Roger Planchon avec Michel Auclair et Anouk Ferjac dans les principaux rôles. J'avais rencontré cette dernière un an auparavant sur le tournage d'*Au hasard Balthazar,* quand elle rendait visite à Ghislain Cloquet qui était très amoureux d'elle. J'avais été séduite par sa douceur et sa discrétion et je fus stupéfaite en la découvrant sur scène. Elle interprétait Elmire avec une force telle que j'avais du mal à la reconnaître. J'étais éblouie par sa beauté et son talent; heureuse d'assister à une telle métamorphose chez une comédienne qui m'avait semblé, à tort, un peu effacée. Lors de cette représentation en plein air et sous les étoiles, je retrouvai intact l'amour fou que j'avais éprouvé adolescente pour le théâtre. Applaudir à tout rompre en criant « Bravo! » me procura le même intense plaisir physique. Jean-Luc qui ne m'avait jamais vue ainsi me regardait un peu surpris. « On dirait que tu es en transe. Tu ne vas pas te rendre malade, au moins? » demandait-il tandis que je l'entraînais en direction des coulisses.

Au milieu de ses partenaires assis le long de tables à tréteaux, devant des miroirs de fortune et sous la lumière vacillante d'ampoules nues, Anouk se démaquillait. Elle était redevenue la timide jeune femme que j'avais connue et rougit de plaisir quand Jean-Luc la complimenta. « Merci », murmura-t-elle d'une toute petite voix qui n'avait plus rien à voir avec la voix si nette que nous avions entendue, un quart d'heure auparavant.

Dans ce local qui servait de loges aux comédiens, d'autres comédiens amis avaient assisté au spectacle et se pressaient pour les féliciter. Certains appartenaient à la troupe du Théâtre de Bourgogne avec qui Francis travaillait. Jean-Luc et moi avions passé d'agréables moments avec eux, les retrouver nous fit plaisir. Ils avaient appris notre mariage par la presse et ils nous firent fête, comme l'avait fait le matin la joyeuse bande de La Magnaneraie.

— Joignez-vous à nous pour boire un verre, proposa Anouk.

— Merci, mais nous sommes épuisés, répondit Jean-Luc.

Il vit la déception que j'éprouvais et parut hésiter. Je lui fis ce qu'il appelait mes « yeux de cocker malheureux ».

— D'accord. Reste un moment avec eux, mais un moment seulement. Moi, je rentre me coucher, nous partirons tôt demain matin.

Et à Anouk, sur un ton cérémonieux :

— Je vous la confie.

Je passai deux heures absolument délicieuses en compagnie des comédiens, sur la terrasse d'un café de la place de l'Horloge. J'écoutai leurs bavardages, attentive à tout ce qu'ils disaient, à l'électricité que dégageaient ceux qui sortaient de scène. Parfois, je me dédoublais et me revoyais, adolescente ingrate, perdue dans mes rêves de théâtre. Je fuyais comme je le pouvais un présent trop douloureux en m'imaginant actrice, en Avignon, dans l'ombre de Jean Vilar. Pour mieux m'effondrer ensuite, consciente que ce monde me serait toujours interdit. Et je me retrouvais, en cette fin de juillet 1967, au cœur de mes rêves !

Anouk considérait les choses à sa façon.

— Ma petite Anne, répétait-elle en se souvenant que Ghislain Cloquet m'avait conseillé d'écrire à Jean-Luc Godard, quel chemin tu as parcouru en un an !

Elle et ses camarades me traitaient encore comme une enfant mais cela ne me gênait pas tant j'étais heureuse d'être tout simplement présente à leur table. Je n'osais pas encore penser que j'appartenais à leur confrérie mais je le souhaitais de tout mon cœur, de toute mon âme.

Il était plus tard que prévu quand je réintégrai l'hôtel de La Magnaneraie. Je craignais les reproches que ne manquerait pas de me faire Jean-Luc et je fus très soulagée de constater qu'il dormait. J'avais ouvert et refermé la porte avec précaution et je me déshabillai. Puis, je me glissai nue dans le lit, bien décidée à ne pas le réveiller. Satisfaite, je m'apprêtais à sombrer dans un profond sommeil quand je sentis une main étrangère se poser sur mon épaule et une voix, qui n'était pas celle de Jean-Luc, marmonner : « C'est toi, Sabine ? » Mon effroi fut tel que je crus que mon cœur s'arrêtait de battre. Je connaissais cette voix, je l'avais souvent entendue au cinéma et au théâtre, c'était celle de Jean-Pierre Cassel qui occupait avec sa femme la chambre voisine de la nôtre. Je demeurai quelques secondes paralysée à l'idée qu'il se réveille complètement et me découvre dans son lit. Mais heureusement Jean-Pierre Cassel me tourna le dos et se rendormit. En une seconde, je fus debout. J'attrapai mon linge, ma mini-robe, mon pull et mes sandales qui traînaient éparpillés sur le plancher et me retrouvai, toujours nue, dans le couloir de l'hôtel. Un peu de lumière filtrait sous la porte de la chambre voisine et j'y entrai précipitamment.

Jean-Luc lisait sagement dans le lit et de stupéfaction lâcha son livre quand il me découvrit, collée contre la porte, nue, avec mes vêtements serrés sur ma poitrine. Il essaya de dire quelque chose mais aucun son ne put sortir de sa bouche. D'une voix hachée et dans un grand désordre de mots, je lui racontai ma méprise. Au même moment, il y eut un discret bruit de talons hauts dans le couloir, une porte que l'on pousse et que l'on referme et les bruits d'une première chaussure tombant sur le sol suivi par la chute de la deuxième. Je désignai à Jean-Luc le mur qui séparait les deux chambres.

— C'est la vraie Sabine qui rentre !

— Je me demande d'où elle vient cette Sabine, répondit Jean-Luc. Qu'est-ce que c'est que ces épouses qui sortent sans leur mari ? Toi d'abord, puis elle ! Quelles mœurs...

À son ton, je compris qu'il n'y aurait pas de drame et qu'il croyait à cette invraisemblable histoire. Lui qui était si souvent et si vite soupçonneux percevait en cinéaste le mécanisme comique de cette méprise et s'en amusait. Une lueur de franche gaieté brillait même dans ses yeux tandis qu'il fredonnait à voix basse la chanson du film de Clive Donner *What's New Pussycat ?* Je jetai sur une chaise mes vêtements et mes sandales et le rejoignis dans le lit.

— C'est toi, Sabine ? chuchota-t-il en imitant la voix de Jean-Pierre Cassel.

Cette phrase entra dans notre langage codé, aux côtés du « Précise ta pensée », cher à Francis, du *Ainsi va la vie à bord du « Redoutable »* et du « À la prochaine, monsieur Godard ! ». Prononcées par Jean-Luc, ces phrases énigmatiques, sans aucun rapport avec la conversation en cours, avaient le pouvoir de dérouter à chaque fois n'importe lequel de ses interlocuteurs.

Jean-Luc avait loué une voiture décapotable et nous roulions comme des vacanciers heureux en direction de La Garde-Freinet. Il conduisait sans se presser, prenait des chemins détournés pour faire durer le plaisir. Le Midi que nous traversions ressemblait à celui chanté par Charles Trenet, et Jean-Luc, toujours si critique à l'égard de ce pays, se laissait aller à chanter à tue-tête *Douce France*. Nadja, dressée sur la banquette arrière, les oreilles collées par le vent, s'enivrait d'air et de parfums.

Jeanne Moreau nous accueillit avec grâce et simplicité. Elle nous fit d'abord visiter son domaine de Préverger, un paradis d'arbres et de fleurs, avec des fontaines, une piscine et un potager dont elle était particulièrement fière. Puis le salon, la bibliothèque remplie de livres qui avaient tous été lus, la cuisine où s'affairait sa gouvernante italienne, Anna, à qui elle nous présenta. Jamais encore je n'avais côtoyé un tel degré de raffinement. Dans la grande chambre qu'elle mettait à notre disposition, il y avait deux lits collés l'un contre l'autre : un grand et un petit.

— Il fait très chaud dans le massif des Maures, en cette saison, expliqua-t-elle. Quand on fait l'amour, ça peut être précieux de se rafraîchir ensuite dans le lit qui n'a pas été utilisé. Même chose si l'un des deux occupants a un sommeil agité et l'autre pas...

Elle ouvrit les battants d'une immense penderie.

— Les nuits, parfois, sont fraîches. Vous avez à votre disposition plusieurs pull-overs en cashmere et quelques pantalons en velours. Des maillots de bain aussi, au cas où vous auriez oublié les vôtres et que vous souhaiteriez vous baigner dans la piscine...

Elle nous observa quelques secondes, concentrée, les sourcils froncés.

— Je crois ne pas m'être trompée pour les tailles des vêtements. Toutefois, Anne, si vous souhaitez une robe plus habillée ou quoi que ce soit d'autre, mon dressing-room personnel vous est ouvert.

Elle nous fit ensuite les honneurs de la salle de bains attenante.

— Je vous ai mis des savons et une eau de toilette que je fais venir de Londres. Mes invités, en général, apprécient beaucoup.

Elle s'empara du beau flacon taillé à l'ancienne, nous montra l'étiquette anglaise qui confirmait l'origine : *4, Wellington Street, Covent Garden*, et enleva le bouchon pour nous faire sentir le contenu.

— Eau de toilette à la citronnelle. Exquis, n'est-ce pas ?

Puis elle nous expliqua qu'un déjeuner froid nous attendait à l'ombre des tilleuls. Elle-même était au régime, buvait de l'eau et n'avait droit qu'à deux assiettes de riz complet par jour.

— Mais mes invités ont droit, eux, aux meilleurs vins et je fais toujours servir du champagne, le soir, en apéritif. Bien entendu, je serai présente à tous les repas...

J'écoutais cette voix unique, claire et sensuelle, égrener des mots banals comme « lit », « salle de bains », « pull-overs », et ces mots dits

par cette voix prenaient des couleurs, se trans-
formaient en joyaux. Dans les contes de Perrault
de mon enfance, les mauvaises fées, quand elles
s'exprimaient, crachaient des serpents et des
crapauds. De la bouche de Jeanne Moreau
jaillissaient des perles et des pierres précieuses.
J'étais subjuguée par son autorité et la séduction qui se dégageait de sa voix, de ses sourires
et du moindre de ses gestes. Une séduction
principalement destinée à Jean-Luc, mais comment pouvait-il en être autrement ? Je l'avais vue
maquillée et perruquée sur le plateau de *La mariée était en noir* et j'étais touchée par ce visage
nu où apparaissaient quelques rides, par son
large front que ses cheveux tirés en arrière ne
dissimulaient plus.

— Je vous laisse vous rafraîchir et vous attends dehors pour le déjeuner, dit-elle avant de
se retirer.

Jean-Luc attendit que la porte se referme
pour se tourner vers moi, l'air renfrogné.

— Qu'est-ce que tu m'énerves quand tu
tombes en admiration ! Tu la dévorais des
yeux, tu buvais ses paroles. Un peu plus et tu en
bavais !

J'étais stupéfaite.

— Tu n'es pas jaloux d'elle, tout de même ?

— Si ! À te voir admirer aussi intensément
Jean Vilar, Maurice Béjart, Anouk Ferjac et
maintenant Jeanne Moreau, je me demande
pourquoi tu m'as choisi, moi. Tu es comme un

ballon qu'une brise risquerait d'emporter ailleurs. Si tu crois que ça me rassure...

Mais l'après-midi passé à utiliser les deux lits dans la grande chambre aux volets tirés refit de nous d'heureux amants et tranquillisa Jean-Luc. À la fin de la journée, après avoir nagé dans la piscine entourée de lavande et de lauriers-roses, il consentit même à dire du bien de notre hôtesse : « Il faut lui reconnaître cette qualité : elle sait recevoir sans s'imposer. »

Le jour déclinait quand nous montâmes dans notre chambre pour nous changer. Au passage, j'avais entrevu la gouvernante, Anna, qui dressait une longue table sous les tilleuls et qui m'avait désigné une carafe ancienne entourée de verres en cristal.

— C'est la boisson préférée de Jeanne quand elle n'est pas au régime : un très bon champagne glacé dans lequel, depuis quelques heures, marinent des fruits, avait-elle expliqué avec un fort accent italien.

Elle nous avait servi d'emblée deux verres. Jean-Luc avait refusé le sien tandis que j'avais accepté le mien avec gratitude. C'était une boisson rare et délicieuse que je dégustai par petites gorgées. Au rez-de-chaussée, quelqu'un avait mis un disque de Charles Trenet et des chansons, entendues enfant à Malagar, arrivaient jusqu'à notre chambre. J'avais hâte de redescendre, de découvrir les nouveaux invités, de reprendre du champagne et de retrouver celle que, même en pensée, je me refusais à appeler par son seul prénom, Jeanne Moreau.

Nous étions onze autour de la table éclairée par de nombreuses bougies. Des amis qui possédaient des maisons de vacances dans les environs comme l'écrivain François-Régis Bastide, un couple d'Anglais qui avait pour un soir délaissé Saint-Tropez, un photographe, des gens de cinéma connus que je ne connaissais pas dont Jean-Louis Richard, l'ancien mari de Jeanne Moreau avec qui Jean-Luc consentit à échanger quelques mots. Le reste du temps, il se contenta d'adresser un sourire poli aux questions qui lui étaient posées concernant notre mariage et la projection de *La Chinoise* en Avignon. Habituée à me taire, je ne faisais guère mieux et me sentais gênée vis-à-vis de notre hôtesse, si aimable avec tout le monde et qui menait tambour battant de brillantes conversations. Je supposais qu'elle s'attendait à ce que nous apportions notre part d'anecdotes à sa soirée mais rien dans son attitude ne me le fit soupçonner.

Elle présidait en bout de table, mangeait lentement son riz complet et buvait de l'eau tandis que ses invités se régalaient d'une nourriture simple et raffinée avec beaucoup de fruits et légumes de son potager, comme elle ne manqua pas de nous le faire remarquer. Elle était gaie, attentive au moindre de nos désirs et belle dans sa longue robe en soie claire, avec son visage nu et dégagé. Je retrouvais alors la figure de la statue dont Jules et Jim tombent amoureux avant même de rencontrer la Catherine qui lui ressemble et à laquelle ils s'attacheront pour toujours.

— Vous savez que votre petite chienne a dévoré tout un parterre de mes pétunias? nous demanda-t-elle soudain à un moment où, peut-être, la conversation traînait.

J'étais désolée.

— Il ne faut pas. J'adore planter et dès l'aube, je suis dans mon jardin. Qu'est-ce que c'est au juste, comme race?

Je lui expliquai laborieusement son origine douteuse et m'excusai presque de ne pas avoir une plus jolie chienne.

Jean-Luc m'interrompit :

— Nadja est mieux que jolie, elle est belle *comme la rencontre fortuite d'un parapluie et d'une machine à coudre sur une table de dissection.*

La définition d'André Breton fit rire toute la table et enchanta Jeanne Moreau. Elle demanda quelques précisions et Jean-Luc lui parla de Lautréamont et d'André Breton. Ouf, nous n'avions pas trop démérité.

Le dîner terminé, la soirée se poursuivit au salon. La conversation petit à petit ralentissait et Jeanne Moreau nous mit des disques de Charles Trenet qu'elle adorait. Elle connaissait par cœur plusieurs de ses chansons et à la demande de son ex-mari, Jean-Louis Richard, interpréta sa préférée, qui devint aussitôt et pour toujours aussi la mienne, *La Folle Complainte.* Puis, parce que nous insistions, elle chanta encore *Swing troubadour, Miss Emily, La Java du diable*. Après quoi, elle eut quelques bâillements et décréta qu'elle allait se coucher.

— Je me lève avec le soleil. Bonne fin de soirée à tous.

Dans notre grande chambre, quelqu'un avait refait les lits, changé les serviettes et fermé les volets. Une carafe de citronnade, deux verres et une bouteille d'eau minérale nous attendaient sur l'une des tables. J'étais grisée par cette journée et triste de repartir le lendemain en Avignon où Jean-Luc devait retrouver Jean Vilar pour une conférence de presse. « Dès qu'on rentre à Paris, je t'offre le coffret complet de Charles Trenet et on l'écoutera encore mieux chez nous », m'assura-t-il avant de s'endormir.

Une vague appréhension me tenaillait au fur et à mesure que nous nous rapprochions d'Avignon et j'avais mal à la gorge et à la tête. Nous nous arrêtâmes à La Magnaneraie pour déposer nos affaires et confier Nadja à la patronne de l'hôtel. Elle nous montra avec satisfaction la presse locale du jour qui annonçait partout la conférence de presse qui devait avoir lieu en fin de journée, au Verger. C'était la première fois qu'un film était présenté dans la cour d'honneur du palais des papes, la première fois que le cinéma entrait au Festival. Personne encore n'avait vu *La Chinoise* et notre récent mariage excitait toutes les curiosités. « Beaucoup de journalistes ont téléphoné pour vous rencontrer. Il y en a quatre qui vous attendent dans le jardin, dit-elle. — Nous ne voulons surtout pas les voir. Dites-leur que nous ne sommes pas là », lui répondit Jean-Luc. Et à moi : « Montons nous planquer dans la chambre et attendons qu'ils déguerpissent. »

Cachés derrière les volets tirés de la fenêtre, nous vîmes la patronne parlementer avec les journalistes qui ne semblaient pas pressés de quitter les lieux. Par sécurité, nous attendîmes dans la chaleur moite de la chambre l'heure du rendez-vous avec les responsables du Festival. J'avais avalé de l'aspirine et entouré ma gorge d'un foulard, mais la douleur persistait. Je l'attribuais à ma peur d'être à nouveau confrontée à la foule et je regrettais de n'être pas restée chez Jeanne Moreau comme elle me l'avait gentiment proposé. Mais Jean-Luc s'y était fermement opposé : ma place était à ses côtés et il détestait l'idée de me laisser seule, en compagnie d'éventuels nouveaux invités dont à l'avance il se méfiait. « Une autre fois, peut-être ? » avait suggéré Jeanne Moreau avec un petit sourire moqueur.

L'heure était venue. Nous descendîmes dans le vestibule de l'hôtel où un chauffeur du Festival nous attendait. Dehors plusieurs photographes nous mitraillèrent, en hurlant des questions. « Attendez la conférence de presse », répondit Jean-Luc en feignant l'indifférence. Comme la fois précédente, il avait posé un bras protecteur autour de mes épaules et murmurait : « N'aie pas peur. »

Ce fut bien pire devant le Verger où une foule de curieux, de festivaliers et de journalistes guettaient notre arrivée. Des gens du service d'ordre nous frayèrent un passage vers le jardin et j'aperçus Juliet qui cherchait à nous atteindre. Je criai son nom, Jean-Luc alerté réclama sa présence et elle fut vite près de nous. Puis dans une invraisemblable bousculade, on nous poussa vers une table où siégeaient déjà Jean Vilar et ses principaux collaborateurs. Deux places vides avec nos noms nous attendaient, Jean-Luc et moi, il n'y avait rien de prévu pour Juliet. Un photographe particulièrement indélicat lui fit même signe de se reculer pour nous prendre seuls en photo. La foule des spectateurs assis dans l'herbe huait les journalistes pour les inciter à partir afin que la conférence de presse puisse commencer. Certains patientaient depuis longtemps. Je reconnus dispersés parmi eux nos amis du Théâtre de Bourgogne, des comédiens entrevus la veille à La Magnaneraie, Anouk Ferjac et Maurice Béjart. Ils nous applaudissaient avec chaleur comme pour nous encourager. Jean Vilar, choqué par ce désordre, réclamait au micro un retour au calme.

— Je reste avec Juliet, murmurai-je à Jean-Luc.

Des spectateurs se poussèrent pour nous faire une place, dans l'herbe, au premier rang. Il y eut encore les crépitements des appareils photo pendant quelques minutes, puis cela cessa et Jean Vilar, au micro, annonça :

— Le festival d'Avignon a l'honneur d'accueillir en première mondiale, au palais des papes et pour la première fois de son histoire, le cinéaste Jean-Luc Godard et son film, *La Tonkinoise*.

— *La Chinoise*, rectifia Jean-Luc.

Il y eut des rires dans le public. Rires qui se transformèrent en fous rires quand Jean Vilar une deuxième fois, puis une troisième, se trompa et répéta avec force *La Tonkinoise*. Jean-Luc, maintenant très détendu, fumait une Boyards maïs et se taisait, laissant au public le soin de souffler :

— Non, monsieur Vilar, c'est *La Chinoise*!

Certains scandaient même avec bonne humeur :

— *La Chinoise*! *La Chinoise*!

L'ambiance au Verger devenait formidablement sympathique, beaucoup de personnes présentes semblaient acquises d'avance au film et écoutaient avec attention le dialogue qui commençait entre Jean Vilar, une partie du public et Jean-Luc. Celui-ci, selon son habitude, détournait les questions qui lui étaient posées et multipliait jeux de mots et coq-à-l'âne. Il avait sorti de sa poche un exemplaire du Petit Livre rouge et en lisait quelques extraits, indifférent à la perplexité qui s'emparait alors de Jean Vilar, de ses accompagnateurs et du public. Seuls certains, dont Maurice Béjart, riaient et applaudissaient sans que l'on puisse comprendre s'ils applaudissaient les paroles de Mao Tsé-toung ou le numéro de clown de Jean-Luc, de plus en plus à l'aise et qui s'amusait visiblement beaucoup. Juliet et moi, serrées l'une contre l'autre, nous tenions par la main, heureuses d'être là et fières de faire partie de cette aventure.

Cela se gâta un peu quand ce fut au tour des journalistes, car leurs questions concernaient plus notre mariage que le film. Des regards se tournèrent vers moi et on commença à nouveau à me désigner du doigt.

Jean-Luc, lui, ne se laissa pas impressionner. Des questions idiotes, grâce à sa verve, se retournaient contre celui ou celle qui les avait posées. Il improvisait encore de longues et énigmatiques réponses ou, à l'inverse, manifestait un extrême laconisme. Il menait le jeu, il le savait et quand il me regardait, il pouvait lire l'admiration sur mon visage.

Le jour baissait et certains spectateurs se levaient pour rejoindre leur spectacle du soir. Quelques comédiens étaient déjà partis pour se préparer à jouer, discrètement, modestement. Il était temps d'en finir et Jean Vilar, sans se tromper, annonça :

— Rendez-vous à 22 heures, le 2 août, au palais des papes pour assister à la première mondiale de *La Chinoise.*

— Non, monsieur Vilar, non, le reprit Jean-Luc en se composant l'expression désolée et grave qui le faisait ressembler à Buster Keaton. Pas *La Chinoise, La Tonkinoise*!

— Excusez-moi, répondit Jean Vilar. *La Tonkinoise*!

Et, en s'épongeant le front avec un grand mouchoir blanc :

— Je crois que je n'arriverai jamais à retenir le titre de votre film.

Les deux tiers du public encore présent applaudirent longuement le débat qui venait d'avoir lieu et l'ultime taquinerie de Jean-Luc. Juliet et moi l'attendions assises dans l'herbe. Un couple passa devant nous et nous entendîmes distinctivement la femme dire en me désignant du menton :

— C'est elle, la nouvelle Mme Godard? Qu'est-ce qu'elle est moche!

En un bond, Juliet fut debout et lui fit face, méconnaissable de fureur et de violence.

— Tu le veux, mon poing sur ta sale gueule? Connasse!

Une table avait été dressée dans le jardin de l'hôtel de La Magnaneraie et Jean-Luc avait invité Juliet à se joindre à nous. La rumeur courait déjà annonçant qu'une hilarante conférence de presse avait eu lieu et Jean-Luc, encore une fois, fut applaudi, puis entouré par les quelques comédiens qui se trouvaient encore là. On le félicitait et il souriait, satisfait, détendu comme je l'avais rarement vu. Il ne savait d'ordinaire pas recevoir avec simplicité des compliments et son attitude, ce soir-là, me toucha beaucoup. Je connaissais la part d'humanité qui se cachait souvent sous ses airs désagréables et agressifs, j'étais heureuse que d'autres puissent soudain la voir aussi.

Mais mon mal de gorge augmentait et les douleurs de la tête gagnaient maintenant le cou et les épaules. Je n'avais pas faim et me contentais de grignoter ici et là en buvant du rosé. Parfois de brutales crises de tremblements me secouaient et quand, au cours de l'une d'elles, je renversai mon verre et la bouteille de rosé qui se trouvait à côté, je compris que j'avais de la fièvre. Pour ne pas gâcher la soirée, je minimisai mon état et annonçai, en m'excusant, que je montais me coucher. Jean-Luc, soudain inquiet, répondit qu'il me rejoindrait vite.

Je montai en titubant jusqu'à l'étage, accrochée à la rampe de l'escalier. À la dernière marche, le couloir qui desservait les chambres faisait un angle droit d'où surgit brusquement un homme de haute taille bardé d'appareils photo. Je ne l'avais pas vu et poussai un hurlement de terreur tel que l'inconnu, apeuré à son tour, s'enfuit, sans prendre une seule photo et en me bousculant. J'entendis au rez-de-chaussée un brouhaha désordonné. Sans doute des employés de l'hôtel, alertés par mon cri, tentaient de capturer celui qui s'était introduit clandestinement dans l'espoir de nous surprendre, Jean-Luc et moi.

J'ouvris, tremblante, la porte de notre

chambre et me jetai sur le lit en pleurant convulsivement de peur, de douleur, d'émotion, je ne savais plus. Mais Jean-Luc tout de suite fut là. Il me serrait dans ses bras, m'embrassait, me suppliait de me calmer. « Heureusement que cette ordure s'est échappée, j'aurais pu le tuer ! » répétait-il entre deux mots d'amour.

Ma mère m'avait habituée très tôt aux calmants et aux somnifères et j'avais, comme elle, l'habitude de me balader avec une trousse de pharmacie bien remplie. J'avalai pour la douleur des comprimés de Glifanan et de l'Imménoctal et du Tranxène pour dormir. Toujours bercée par Jean-Luc, je tombai dans un sommeil profond.

Je me réveillai vers 8 heures le lendemain matin et le vis, penché sur moi. Il ne s'était pas déshabillé, ni rasé, ni lavé et sans doute n'avait-il pas dormi. Je voulus lui sourire mais une douleur fulgurante dans la tête, le cou et le dos me fit grimacer. J'avais à la fois très chaud puis très froid et j'étais trempée de sueur.

— Tu as beaucoup transpiré, cette nuit, dit Jean-Luc. J'ai changé deux fois ta chemise. Tu as crié aussi. L'hôtel a appelé un médecin qui passera dès qu'il le peut. Comment tu te sens ?

Les mots venaient difficilement. Je flottais entre une tenace somnolence et le désir de me réveiller tout à fait, de bouger. Mais je réalisai alors que le moindre mouvement me faisait mal et que c'était à peine si je pouvais me redresser sur les oreillers.

— Aide-moi à aller à la salle de bains.

Il me souleva par les épaules et me soutint jusqu'aux toilettes. Puis, à ma prière, tandis que je m'agrippais au lavabo, il me passa un gant d'eau froide sur la figure, sur le cou et sur le buste. Nos deux visages, dans le miroir, faisaient peine à voir.

— Quelles sales gueules on a, murmurai-je pour faire de l'humour.

— Ça, tu peux le dire, répondit-il sur le même ton.

Il me reconduisit et m'installa le plus confortablement qu'il put dans le lit. On nous monta le plateau du petit déjeuner et je pus tout de même boire une tasse de café noir qui m'apporta un vague sentiment de mieux. La femme de chambre s'attardait et demandait en quoi elle pouvait nous être utile. Elle paraissait sincèrement désolée de me voir si mal et nous énumérait toutes les personnes de l'hôtel qui réclamaient de mes nouvelles. Puis elle quitta la chambre après nous avoir assuré que le médecin serait là dans une heure.

— Je vais en profiter pour promener cinq minutes Nadja. Tu vas tenir le coup?

Je m'étais rendormie.

Je me réveillai à l'arrivée du médecin. Il m'ausculta longuement, posa des questions auxquelles j'avais du mal à répondre. Ma température qui avoisinait 40 l'inquiétait et mes douleurs partout dans le corps, aussi. C'était un Antillais, visiblement embarrassé par la présence de nombreux comédiens, sur le pas de la porte, dans le couloir, qui parlaient tous en même temps, donnaient leur avis, évoquaient un transport dans un hôpital des environs. À sa demande, Jean-Luc referma la porte et ils s'entretinrent à voix basse dans le coin le plus reculé de la pièce. Abrutie, encore somnolente, je distinguais tout de même une certaine anxiété sur le visage du médecin et une angoisse de plus en plus vive sur celui de Jean-Luc. Le médecin me fit une piqûre et me força à avaler quelques gélules. « Je repasserai vers 3 heures. Si son état ne s'est pas un tout petit peu amélioré, il va falloir l'hospitaliser. »

Je tombai à nouveau dans un sommeil agité et mes rares tentatives pour reprendre conscience ne me menaient à rien. Il me semblait parfois que j'étais seule avec Jean-Luc, parfois que la chambre était pleine de gens inconnus, parfois que tout le monde m'avait abandonnée et que j'allais mourir. Je ne parvenais plus à distinguer le vrai du faux et j'avais complètement perdu la notion du temps.

Quand le médecin revint, il ne prit pas la peine de m'examiner longtemps. « Ce n'est plus de mon ressort, dit-il. J'espère me tromper mais je crains qu'elle n'ait une méningite, c'est-à-dire une inflammation aiguë des méninges par infection microbienne ou virale. Ce pourrait alors être très grave. — J'ai réservé une chambre pour elle ce soir à l'Hôpital américain de Neuilly. Nous prendrons le vol de 18 heures pour Paris », répondit Jean-Luc. Leurs voix m'arrivaient comme assourdies alors qu'il me semblait qu'on se disputait dans le couloir. Un homme prononça à trois reprises et très distinctement cette phrase : « Méningite cérébrospinale épidémique ? Méningite tuberculeuse ? Mais qu'est-ce qu'il en sait ce médecin, c'est un Nègre ! Un Nègre ! » Les gens de l'hôtel tentaient de faire taire l'homme qui tenait ces propos racistes, sous l'effet de l'alcool, peut-être, on ne le sut jamais. Plus tard, on me raconta qu'il s'agissait du dramaturge Eugène Ionesco.

Le festival d'Avignon mit une voiture à notre disposition pour nous amener à l'aéroport de Marignane. Une jeune femme devait nous escorter jusqu'à Orly où un taxi avait été réservé. Elle me soutenait de son mieux tandis que Jean-Luc était aux prises avec la chienne, complètement affolée. La laisse s'était si bien entortillée autour de sa jambe qu'il faillit plusieurs fois tomber et jurait comme un charretier contre elle et contre le mauvais sort. Malgré la fièvre, je reprenais conscience et percevais le côté comique de notre situation : une envie de rire me traversait. Je pensais : « Je dois être complètement saoule ou défoncée de drogue », états que je ne connaissais pas mais qui devaient ressembler à ce que j'éprouvais.

Jean-Luc, lui, ne riait pas. Dans l'avion, quand il me croyait assoupie et qu'il abandonnait son rôle rassurant de chef de famille, un désespoir absolu semblait alors l'écraser. Je prenais sa main, la serrais fort et lui murmurais : « Ça va aller. » Il se ressaisissait : « Bien sûr, que ça va aller ! »

À Orly, une grande femme très élégante nous aborda et nous proposa sa voiture et son chauffeur. C'était Claude Pompidou, l'épouse du Premier ministre. Elle et son mari étaient très liés avec Claude et Marie-Claude Mauriac et je l'avais déjà rencontrée, quai de Béthune, chez mon oncle et ma tante. Elle était dans l'avion, elle connaissait la gravité de mon état et nous offrait spontanément, généreusement, son aide. Mais pour Jean-Luc, elle représentait le pouvoir en place qu'il détestait et il l'écarta avec grossièreté. Comme elle hésitait à nous abandonner, il la qualifia d'un méchant : « Va-t'en donc, eh, Clarabelle ! » Clarabelle était la vache des dessins animés de Walt Disney à laquelle Jean-Luc trouvait qu'elle ressemblait beaucoup. J'aurais voulu m'excuser, mais j'étais en train de perdre à nouveau conscience.

Quand je revins à moi, j'étais en chemise de nuit dans un lit de l'Hôpital américain de Neuilly. Jean-Luc, tenant toujours Nadja en laisse qui couinait sans interruption, se disputait avec deux infirmiers. Il criait qu'il était Jean-Luc Godard, qu'il ne voulait pas abandonner sa femme et exigeait qu'on lui dresse un lit à côté du mien ou qu'on lui apporte un fauteuil. Je compris qu'on était en train de l'expulser et me mis à crier à mon tour. D'une bourrade, Jean-Luc se débarrassa d'un des infirmiers et me rejoignit sur le lit. Je m'agrippai à son cou en le suppliant de ne pas me quitter. D'autres infirmiers surgirent pour l'arracher à moi tandis que je continuais à pleurer et à hurler que sans lui j'allais mourir. Puis il n'y eut plus rien qu'un grand trou noir et ma dernière pensée fut que je tombais telle l'héroïne d'*Alice au pays des merveilles* dans un immense puits.

Le soleil rentrait à flots par la fenêtre quand j'ouvris les yeux. Je mis quelques secondes à comprendre où j'étais et ce que je faisais couchée dans un étroit lit en fer, entre quatre murs blancs. Puis les souvenirs affluèrent d'un coup. J'étais à l'Hôpital américain de Neuilly où on m'avait conduite en urgence, la veille. La veille ? Je n'en étais pas sûre. Peut-être plusieurs jours s'étaient écoulés depuis ma dernière perte de conscience. Où était Jean-Luc ? Où était Nadja ?

La porte s'ouvrit et une infirmière, un thermomètre à la main, entra et me demanda sur un ton sévère :

— Comment vous sentez-vous ?

— Bien.

J'étais la première surprise. À part quelques vagues courbatures et de la fatigue, je n'avais plus mal nulle part. L'infirmière m'enfonça le thermomètre dans la bouche, le retira et le lut. L'expression de son visage était aussi sévère que le ton de sa voix.

— 37,2.

— Je ne suis plus malade ?

— L'avez-vous seulement été ?

J'étais déconcertée par son attitude.

— Alors, je vais pouvoir partir ?

— Et comment, que vous allez partir ! Pourquoi occuperiez-vous un lit alors que de vrais malades en attendent ? Votre mari a été prévenu, il est en route pour venir vous chercher.

Une fille de salle algérienne m'apporta un plateau de petit déjeuner et je me jetai affamée sur les biscottes et le café. Mon appétit sembla irriter l'infirmière qui sortit sans ajouter un mot. Je regardais le ciel et le soleil derrière la fenêtre, je me répétais : « Je suis vivante ! »

Une nouvelle infirmière et un infirmier entrèrent à leur tour dans la pièce. Ils étaient jeunes, en jean et tee-shirt sous leur blouse de travail, avec de bonnes têtes d'étudiants. Ils me contemplèrent en rigolant traquer les dernières miettes de biscottes, lécher ce qui restait de confiture.

— Eh bien, on dirait que ça va mieux ! dit l'infirmier.

Et tandis que j'acquiesçais poliment :

— Et vous ne vous souvenez de rien, bien entendu ? Ni du raffut de cette nuit, ni de tous les mots d'amour que vous m'avez prodigués ?

Il se tourna vers sa collègue :

— Elle ne me reconnaît même pas ! C'est vexant pour un beau garçon comme moi !

— Ta réputation est foutue, mon vieux !

Ils virent mon visage se décomposer, la peur à

nouveau m'envahir et cessèrent leurs plaisanteries. L'infirmier s'assit au bout de mon lit, l'infirmière sur un tabouret et ils entreprirent le
récit d'une nuit digne, selon eux, d'un film des
Marx Brothers.

Jean-Luc refusant de me quitter, on avait dû
l'expulser de force avec la chienne devenue
folle, qui s'était échappée et qu'on avait récupé-
rée au bout du couloir, terrée sous le lit d'un
autre malade. Moi, délirante de fièvre, je m'étais
agrippée au cou de celui que je croyais être toujours Jean-Luc, lui criant mon amour, en le suppliant de ne pas me laisser.

— Ah, on peut dire que vous l'aimez, votre
mari ! Je n'oublierai jamais votre étreinte et les
mots brûlants que vous me disiez ! Une collègue
est venue et vous a injecté un puissant sédatif.
Mais même complètement dans les choux, on a
eu du mal à me décoller de vous...

Ils riaient de bon cœur et j'hésitais à faire de
même, partagée entre la honte de m'être ainsi
donnée en spectacle et une reconnaissance
animale envers cet inconnu dont la gaieté me
faisait oublier ce que j'avais vécu durant ces dernières vingt-quatre heures. J'en étais à balbutier
des « Excusez-moi » et des « Merci beaucoup »,
quand un homme d'une cinquantaine d'années
entra suivi par Jean-Luc. La vision de son visage
hérissé de barbe, de son teint vert et de ses yeux
hagards, m'enleva aussitôt toute envie de rire. Je
lui tendis les mains et il me serra contre lui.

« J'ai eu si peur », murmura-t-il, les yeux remplis de larmes.

— Vos épanchements attendront. Je suis le médecin chef du service des urgences, j'ai procédé à toutes les analyses : cette jeune femme n'a rien du tout à part un peu d'anémie. L'hôpital a envoyé un communiqué à l'AFP dans ce sens, la presse et les radios ont déjà annoncé sa guérison, vous pouvez rentrer chez vous, le cirque de cette nuit, c'est fini.

Jean-Luc se détacha de moi et le considéra avec incrédulité.

— Mais elle avait 40, elle était très mal, elle a frôlé la mort !

— Oui, mais là, elle va très bien.

Jean-Luc était abasourdi et comme toujours voulait comprendre. Les deux jeunes infirmiers dissimulaient mal à quel point ils s'amusaient tandis que le médecin chef, lui, perdait patience.

— Je ne suis pas psychiatre. Votre épouse a sans doute très violemment somatisé quelque chose. Son comportement relève peut-être de l'hystérie, il y a un service, ici, qui lui conviendrait mieux que celui où elle se trouve.

Dans le taxi qui nous ramenait rue de Miromesnil, Jean-Luc ne décolérait pas. « Hystérique ? Mais il est fou à lier, ce connard ! » On m'aurait traitée de nymphomane que ça n'aurait pas été pire. Jean-Luc haïssait tout ce qui de près ou de loin avait à voir avec la psychanalyse.

Ce n'était pas mon cas et j'étais très troublée : « Peut-être devrais-je voir quelqu'un ? ». Sa colère redoubla : « Et quoi, encore ? » J'essayais de comprendre les raisons de son agressivité, Jean-Luc s'embourbait dans des réponses qui n'en étaient pas, je m'énervais à mon tour, bref, nous nous disputions. À bout d'arguments, dans l'ascenseur, il eut cette phrase qu'il me ressortira parfois et qui aura toujours le pouvoir de me surprendre : « Je ne veux pas que tu voies un psychanalyste, parce que les psychanalystes sont tous des dragueurs ! »

Nadja me fit fête et, la première, s'endormit, foudroyée de fatigue. Nous étions à peu près dans le même état. Couchés l'un contre l'autre sur le lit, j'écoutais Jean-Luc me narrer « les pires heures de sa vie ». Un premier communiqué de presse avait annoncé, la veille au soir, mon départ précipité d'Avignon et mon hospitalisation en urgence à Neuilly. Le téléphone n'avait pas cessé de sonner de toute la nuit.

— Ta famille, tes amis, les nôtres, des journalistes, j'ai eu la terre entière au bout du fil !

— Mais pourquoi tu n'as pas débranché le téléphone ?

— Mais parce que, à chaque fois, je pensais que c'était le service des urgences de l'hôpital qui m'annonçait ta mort, crétine !

À nouveau pris de rage, il me donna un brutal coup de pied et aussitôt après me serra convulsivement contre lui.

— Pardon, mais j'ai vraiment cru te perdre.

Le téléphone sonna et Jean-Luc, tel un automate, se leva. Les portes étant demeurées ouvertes, je l'entendis répondre et compris qu'il parlait avec ma mère. Il revint me demander si je souhaitais lui dire un mot, je fis non de la tête et il lui expliqua que je dormais, que tout allait bien. Il la pria aussi de prévenir ma famille et mes amis de façon à ce que nous puissions débrancher le téléphone et prendre enfin un peu de repos.

— Elle t'embrasse mais se demande ce que tu vas encore inventer pour te faire remarquer, dit-il.

— Elle plaisantait?

— Pas sûr.

Nouvelle sonnerie, nouveau départ automatique de Jean-Luc vers son bureau. La conversation dura plus longtemps et quand Jean-Luc revint s'allonger à mes côtés, il semblait au-delà de la fatigue.

— C'était le festival d'Avignon. *La Chinoise* passe demain à 22 heures dans la cour d'honneur. Ils sont tous rassurés sur ton état de santé mais ils exigent notre présence. J'ai dit que je ferai l'aller-retour pour présenter le film et que pour toi, je ne savais pas.

La pensée de retrouver la foule des journalistes et de redevenir leur proie, l'objet de toutes les curiosités, provoqua en moi une sorte de tremblement nerveux que je parvins à maîtriser.

— Je viendrai.

Jean-Luc me prit dans ses bras et cala sa tête au creux de mon épaule. Nous étions dans un état à la lisière de la veille et du sommeil. Les volets de la chambre filtraient la lumière et l'air chaud de l'été. Une radio, quelque part, diffusait *La Folle Complainte* chère à Jeanne Moreau. Les paroles mélancoliques de la chanson arrivaient jusqu'à nous et redonnèrent soudain un peu de vigueur à Jean-Luc.

— J'irai tout à l'heure à *Lido Musique* t'acheter le coffret Charles Trenet.

Et sans que cela ait le moindre rapport :

— C'est Jean Vilar qui va être content de te retrouver demain. Il n'a pas manqué de demander des nouvelles de *La Tonkinoise*.

— Il a encore dit *La Tonkinoise*?

Jean-Luc soupira.

— *La Chinoise*? *La Tonkinoise*? C'est que je ne sais plus, moi : il m'embrouille, Jean Vilar. Tu me vois pérorer sur la grande Révolution culturelle tonkinoise?

— Oui, très bien.

D'imaginer tous les dérapages comiques que cette nouvelle vision du film serait susceptible de provoquer nous fit beaucoup rire. Nous étions au-delà de l'épuisement, mais nous repoussions le moment de nous endormir pour savourer encore un peu cette certitude d'être vivants et réunis. Maintenant, Jean-Luc organisait notre avenir. Après la projection de *La Chinoise*, il me conduirait chez Francis et Christiane, sur le bassin d'Arcachon, où je me reposerais. Lui rentrerait à Paris préparer le tournage de son prochain film *Week-end*.

— Tu assureras la photo noir et blanc et Marilou la couleur. Juliet, Jean-Pierre et Blandine feront partie de la distribution. Après, on file à Venise pour présenter *La Chinoise* qui est aussi invitée, cet automne, dans plusieurs grandes universités américaines. Si tu veux retourner à Nanterre, je n'y vais pas, sinon tu m'accompagnes aux U.S.A. Tu comptes te représenter à Nanterre ?

— Non !

Jean-Luc et son bagout retrouvé me donnaient le tournis. Je ne l'écoutais plus vraiment et songeais à ce que m'avait dit Anouk Ferjac : « Quel chemin tu as parcouru en un an ! » J'interrompis Jean-Luc et ses projets d'avenir pour lui citer la phrase d'Anouk. Il médita quelques secondes sur le sens de ce qu'il venait d'entendre, se redressa sur un coude et me regarda en souriant.

— Non, Anouk a tort.

Et il me cita la dernière phrase de Véronique, à la fin de *La Chinoise* :

— *Je m'étais trompée. Je croyais avoir fait un grand bond en avant alors que je n'avais fait que les premiers pas d'une longue marche.*

Puis, enchanté d'avoir eu, une fois de plus, le dernier mot, il s'endormit d'un coup.

La Mente, septembre 2011

COLLECTION FOLIO

Composition Cmb Graphic
Impression Novoprint
à Barcelone, le 04 octobre 2013
Dépôt légal : octobre 2013
ISBN 978-2-07-045387-0./Imprimé en Espagne.